SEIMON P

SEIMON PRYS DITECTIF

TALES FOR WELSH LEARNERS

(with footnote translations)

IVOR OWEN

Cyhoeddwyd y llyfr hwn dan gynllun
Llyfrau Cymraeg y Cyd-Bwyllgor Addysg Cymreig

Argraffiad clawr papur 1974

Ail argraffiad Medi 2000

ISBN 0 7074 0341 3

The footnote translations are a guide to the understanding of new sentence patterns, idioms, and vocabulary, as they are introduced in the text.

Argraffwyd a chyhoeddwyd gan

WASG GEE, LÔN SWAN, DINBYCH.

CYNNWYS

Tud.

DIWRNOD TAWEL . . .

DITECTIF ydy Seimon Prys — ditectif preifat. Mae e'n byw gyda'i wraig, Gwen, mewn tŷ hardd y tu allan i dref Caerolau.

Roedd hi'n fore braf ym mis Mai a Seimon wrth ei ddesg yn ei stafell breifat yn y tŷ. Roedd Gwen allan yn yr ardd. Roedd hi'n braf iawn yno a'r blodau'n edrych yn hardd yn haul y bore. Yn sydyn, dyma Gwen yn rhedeg i'r tŷ ac i mewn i stafell Seimon.

'Seimon,' meddai hi, 'dewch allan am dro!'

'Dewch allan am dro? Amhosibl, Gwen. Mae gwaith gen i yma,' atebodd Seimon.

'Twt, nac oes. Beth sy gennych chi ar eich desg? Dau neu dri o lythyrau. Rydw i wedi bod allan yn yr ardd, ac O, mae hi'n braf. Mae'r blodau . . . popeth . . . yn edrych yn hardd. Dewch allan am dro yn y car.'

'Yn y car? I ble?' Wel, doedd dim rhaid iddo fe gerdded. Doedd e ddim yn hoff iawn o gerdded.

'Allan i'r wlad, wrth gwrs, i weld y coed a'r blodau. Rydych chi wedi bod yn gweithio'n galed. Does dim rhaid i chi weithio bob dydd, rydw i'n siŵr, Seimon.'

'O'r gorau, Gwen, rydw i'n dod . . . ar ôl darllen y llythyrau yma.'

'Da iawn! Darllenwch y llythyrau. Rydw i'n mynd i gael y car allan o'r garej. Rydw *i*'n mynd i yrru y bore yma,' meddai Gwen, ac allan â hi i'r garej.

Chwarter awr wedyn, roedd Seimon a Gwen yn eistedd yn y car — Triumph 2000 — a Gwen yn gyrru allan i'r ffordd fawr.

Roedd hi'n fore braf — *It was a fine morning*
haul y bore — *the morning sun*
mae hi'n braf — notice 'hi' for 'it' again
hardd — *beautiful*
y ffordd fawr — *the main road*
ffordd (ffyrdd) f. — *road, way*

'Dyma ni ar y ffordd fawr, Gwen,' meddai Seimon. 'Nawrte, ble rydyn ni'n mynd?'

'Allan i'r wlad, wrth gwrs. Fe fyddwn ni allan o'r traffig yma mewn munud neu ddau, ac yna . . . ffyrdd tawel Y Fro!'

'Da iawn. Fe fydd hi'n braf yn Y Fro.'

'Ac wedyn fe fyddwn ni'n mynd drwy'r pentrefi bach ar lan y môr, ac yna ymlaen i Sir Gaerfyrddin . . .'

'Sir Gaerfyrddin!' meddai Seimon yn syn. 'Fe fyddwn ni allan drwy'r dydd!'

'Byddwn, byddwn. Rydyn ni'n mynd i gael diwrnod tawel yn y wlad,' atebodd Gwen gan chwerthin yn braf.

'O'r gorau, Gwen. Chi sy'n gyrru, a chi fydd yn talu am betrol. Ac fe fydd rhaid i ni gael bwyd. Chi fydd yn talu am y bwyd hefyd.'

'Na fydda. Fydda i ddim yn talu. Mae fy mhwrs yn y tŷ. Fe fyddwch chi'n mwynhau talu, rydw i'n siŵr.'

Roedd rhaid i Seimon chwerthin.

'Un dda ydych chi, Gwen. Dyma chi'n gofyn i fi ddod allan am ddiwrnod tawel yn y wlad, — a gadael fy ngwaith, wrth gwrs, — ond fi sy'n talu am bopeth.' Yna'n sydyn, meddai fe, 'Fe fyddwch chi'n mynd drwy Sir Gaerfyrddin, Gwen. Fyddwch chi'n mynd drwy Lanymddyfri?'

'Wel, mae'n bosibl . . .'

'Rydw i'n gwybod am dafarn fach dawel mewn pentref y tu allan i Lanymddyfri. Dyna le da i gael bwyd.'

'Beth ydy enw'r pentref yma?'

'Llyche. Mae e . . . O, saith milltir o Lanymddyfri.'

'A'r dafarn?'

'Y Llew. Ffrind i fi sy'n cadw'r lle. Hen blismon ydy e — Jac Ffransis. Rydw i'n nabod Jac yn dda.'

'Rydych chi'n nabod pob plismon, Seimon.'

Y Fro — *The Vale (of Glamorgan)*
Sir Gaerfyrddin — *Carmarthenshire*
drwy'r dydd — *all day (through the day)*
gan chwerthin — *laughing*
mwynhau — *to enjoy*
talu — *to pay*
un dda — *a good one* (fem.)
un da — *a good one* (masc.)
mae'n bosibl *or* mae hi'n bosibl — *it is possible* (cf. mae hi'n braf)
milltir (milltiroedd) f. — *mile*
ffrind i fi — *a friend of mine (to me)*
tafarn (f.) — *inn, pub*

'Rydw i'n nabod llawer o blismyn, Gwen. Fy ngwaith, rydych chi'n gweld.'

'Does dim rhaid i chi ddweud wrtho i!'

Ymlaen aeth y car drwy bentrefi tawel Y Fro; yna drwy bentrefi bach glan y môr, a Seimon a Gwen yn mwynhau pob munud. Oedd, roedd hi'n braf iawn allan yn y wlad y bore yma ym mis Mai . . .

Ar ôl gadael glan y môr, roedd y traffig yn drwm am rai milltiroedd, ond yn fuan, fe droiodd Gwen y car am ffyrdd tawel Sir Gaerfyrddin.

'Ble mae'r pentref Llyche yma?' gofynnodd Gwen ar ôl gadael y traffig trwm.

'Saith milltir o Lanymddyfri, fel dwedais i,' atebodd Seimon ac edrych ar ei wats. 'Mae hi nawr yn hanner awr wedi un ar ddeg. Fe fyddwn ni yn Llyche mewn hanner awr . . . Wel, tri chwarter awr ar y sbîd yma?'

'Rydych chi'n siŵr o fwynhau bwyd Jac Ffransis . . . wel, bwyd Mrs. Jac Ffransis.'

Tri chwarter awr wedyn, roedd y Triumph 2000 yn aros y tu allan i dafarn Y Llew ym mhentref Llyche.

'Dyma ni, Gwen, a dacw Jac wrth y drws,' meddai Seimon.

Fe neidiodd y ddau allan o'r car. Fe ddaeth Jac Ffransis atyn nhw'n syth.

'Seimon Prys! Wel, wel! Sut rydych chi?' meddai Jac, yr hen blismon, ac roedd gwên fawr o groeso ar ei wyneb.

'Da iawn, Jac. A chi? Rydych chi'n edrych yn dda iawn. A dyma Gwen, fy ngwraig. Dydych chi ddim yn nabod Gwen.'

Fe safodd Jac ac edrych arni hi yn hir.

trwm — *heavy*
am rai milltiroedd — *for some miles*
fel dwedais i — *as I said*
fel — *as, like*
ar y sbîd yma — *at this speed*
syth — *straight*
gwên fawr o groeso — *a huge smile of welcome*

'Wel, Seimon,' meddai fe o'r diwedd, 'rydych chi wedi bod yn lwcus iawn.'

'Diolch yn fawr, Mr. Ffransis,' meddai Gwen, ac roedd gwên fawr ar ei hwyneb hi nawr.

'Nawrte, Jac,' meddai Seimon wedyn, 'mae eisiau bwyd arnon ni. Beth sy gennych chi ar y *menu* heddiw? Does arnon ni ddim eisiau dim byd trwm, cofiwch.'

'Dewch i mewn i'r bar, Seimon. A chi, Mrs. Prys. Fe fydda i'n dod â bwyd i chi yn y bar. Mae rhywbeth hyfryd gen i i chi — pysgod o'r afon . . .'

'Bwyd yn y bar, Jac?' gofynnodd Seimon yn syn. 'Beth am eich parlwr hardd? Dyna lle rydw i wedi cael bwyd yma bob amser.'

'Wel . . . ym . . . mae pobl yn y parlwr heddiw. Pobl y banc, Seimon.'

'Wrth gwrs! Rydw i'n cofio nawr. Mae pobl y banc yn dod yma bob dydd Llun. O'r gorau, Jac. I mewn i'r bar â ni.'

Ond doedd Gwen ddim yn hoffi mynd i mewn i'r bar i gael bwyd.

'Pobl y banc?' meddai hi. 'Ydyn nhw'n dod yma i ginio bob dydd Llun? Oes dim lle yn y . . . parlwr i ni hefyd?'

Chwerthodd Seimon a Jac.

'Na, Gwen. Dydy pobl y banc ddim yn dod yma i ginio bob dydd Llun. Maen nhw'n dod yma i weithio — i gasglu arian,' atebodd Seimon.

'O?'

'Mae dyn yn dod yma o'r banc yn Llanymddyfri bob bore dydd Llun, ac mae'r ffermwyr a phobl y pentre'n dod yma i fancio'u harian. Does dim rhaid iddyn nhw fynd i Lanymddyfri wedyn.'

'Ac wrth gwrs,' meddai Jac Ffransis, 'mae pobl yn dod i nôl arian o'r banc hefyd. Mae llawer o arian yn newid dwylo ym mharlwr Y Llew bob bore dydd Llun. Ie, pentref

hir — *long*
rhywbeth hyfryd — *something special*
hyfryd — *pleasant, nice, lovely*
syn — *surprised*
casglu — *to collect*
arian — *money*
newid dwylo — *to change hands*

bychan ydy Llyche, ond mae llawer o arian yn newid dwylo yma.'

'Un dyn sy'n dod o'r banc yn Llanymddyfri, meddech chi,' meddai Gwen, 'ond mae *pobl* y banc yn y parlwr, meddech chi eto. Oes rhywun gyda'r un dyn yma?'

'O, oes, y bobl sy'n mynd a dod, wrth gwrs, ac mae plismon gyda dyn y banc. Hen blismon fel fi,' chwerthodd Jac. 'Ond dewch nawr i'r bar. Fe fydd eich cinio'n barod mewn deng munud — pysgod o'r afon, chi'n gwybod . . . samwn!' Ac fe gaeodd Jac un llygad a gwenu'n braf.

'Dydy'r plismon ddim wedi troi'n botsier, ydy e, Jac?' gofynnodd Seimon.

'Wel . . . ym . . . mae e'n nabod un neu ddau o bysgotwyr, dwedwch, ac mae rhai pobl yn rhoi'r enw potsier arnyn nhw. Nawr, eisteddwch wrth y bwrdd yma wrth y ffenest. Rydych chi'n gallu gweld popeth i lawr y stryd drwy'r ffenest yma.' Ac fe aeth Jac allan i gegin y dafarn. Fe glywodd Gwen a Seimon ei lais e'n galw, 'Mari . . .'

Fe eisteddodd Gwen a Seimon wrth y bwrdd ac edrych allan drwy'r ffenest. Pentref un-stryd oedd Llyche a doedd dim llawer o bobl o gwmpas. Roedd grŵp o ffermwyr yn siarad â'i gilydd ar ôl bod yn y banc. Roedden nhw'n chwerthin yn braf, yn mwynhau jôc neu rywbeth.

Munud neu ddau wedyn, fe ddaeth Jac Ffransis yn ôl i'r bar i osod y bwrdd.

'Fi sy'n gwneud y gwaith yma, gosod y bwrdd ac ati,' meddai Jac, 'ond mae'r wraig yn y gegin. Fydd dim rhaid i chi aros yn hir am y samwn . . .'

Ond doedd Seimon ddim yn gwrando. Roedd car mawr — Jaguar — wedi aros y tu allan i'r dafarn, ac roedd llygaid Seimon ar y car. Roedd tri dyn yn y car.

'Dydy'r tri dyn yna yn y Jag. ddim yn edrych fel ffermwyr,' meddai Seimon.

y bobl sy'n mynd a dod — *the people who come and go*
potsier — *poacher*
rhai pobl — *some people*
neu rywbeth — *or something*
gosod y bwrdd — *to lay the table*
ac ati — *and so on*

'O, mae llawer o bobl yn galw yma am ginio ac ati,' atebodd Jac.

'Maen nhw wedi clywed am eich samwn chi, Mr. Ffransis,' meddai Gwen gan chwerthin.

'Does dim eisiau cinio arnyn nhw heddiw,' meddai Seimon. 'Dydyn nhw ddim yn dod allan o'r car.'

Ond y munud nesa fe gafodd e sioc.

'Edrychwch beth mae'r tri yna'n ei wneud!' meddai Seimon yn syn.

Roedd y tri dyn yn y car yn tynnu hosanau dros eu pennau, a dyma nhw allan o'r car. Roedd ffon gan bob un o'r tri yn ei law. Fe ddaethon nhw'n gyflym i mewn i'r dafarn a mynd yn syth i'r parlwr a chau'r drws ar eu hôl.

Fe neidiodd Seimon ar ei draed ar unwaith.

'Lladron ydyn nhw. Edrychwch, Gwen! Mae'r dynion yna wedi gadael drws y Jaguar ar agor — yn barod i ddianc, mae'n siŵr — ac mae'r allwedd yn y car. Gwrandewch nawr, Gwen! Mae trwyn y Jag. at y pentref, ond mae trwyn ein car ni y ffordd arall. Allan â chi nawr fel y gwynt, a gyrrwch i lawr y stryd yn y Jaguar at y ffermwyr yna, a dewch â nhw'n ôl gyda chi. Jac! Dewch chi gyda fi.'

Fe aeth Gwen allan o'r dafarn fel y gwynt, ac fe redodd Seimon at ddrws y parlwr, a Jac Ffransis ar ei ôl e.

Roedd sŵn gweiddi mawr, sŵn cadeiriau'n syrthio, sŵn ymladd yn dod o'r stafell.

'I mewn â ni, Jac,' meddai Seimon gan droi nobyn y drws. Ond roedd y lladron wedi cloi'r drws.

'Maen nhw wedi cloi'r drws o'r tu mewn. Mae'r allwedd bob amser y tu mewn i'r drws,' meddai Jac Ffransis. 'Mae rhaid i ni dorri'r drws i lawr.'

'Na,' meddai Seimon. 'Fe fyddan nhw'n mynd allan drwy'r ffenest, mae'n siŵr. Rydw i'n mynd allan. Oes ffon neu rywbeth gennych chi?'

nesa — *next*
ffon (ffyn), f. — stick *(walking stick)*
syth — *straight*
lleidr (lladron), m. *thief*
dianc — *to escape*
allwedd (allweddi), f. — *key*
y ffordd arall — *the other way*
ar ei ôl e — *after him*
ymladd — *to fight, fighting*
sŵn — *noise, sound*
cloi — *to lock*

'Mae pocer yn y lle tân yn y bar.'

'O'r gorau!' meddai Seimon. 'Arhoswch chi yma wrth y drws, Jac. Fe fydda i'n aros amdanyn nhw wrth y ffenest a'r pocer yn fy llaw.'

Fe redodd Seimon i'r bar. Dyma Mrs. Ffransis yn dod o'r gegin. Roedd hi wedi clywed y sŵn a'r gweiddi.

'Lladron yn y parlwr, Mrs. Ffransis. Arhoswch chi wrth y drws gyda Jac.' Ac allan â Seimon gan ddal pocer y bar yn ei law.

Roedd sŵn mawr yn dod o'r parlwr o hyd. Roedd yr hen blismon a dyn y banc yn ymladd yn galed.

'Fe fydd y lladron yma'n dod allan nawr,' meddai Seimon wrtho'i hun. 'Wel, rydw i'n barod!'

Fe agorodd ffenest y parlwr yn sydyn a chyflym, ac fe roiodd un o'r lladron ei goes drwy'r ffenest i ddod allan.

WHAM! Fe ddaeth y pocer i lawr yn drwm arni hi.

'Waw!' gwaeddodd y lleidr a diflannodd y goes yn ôl i'r stafell.

Nesa, dyma un o'r lladron yn rhoi ei ben allan drwy'r ffenest yn araf . . . araf. Fe gododd Seimon y pocer. Fe ddiflannodd y pen yn ôl i'r stafell hefyd!

'Fe fyddan nhw'n ceisio dod allan drwy'r drws nawr,' meddyliodd Seimon. 'Dim ond Jac a'i wraig sy yno. Ble mae Gwen a'r ffermwyr yna?'

Dyna sgrechian brêcs! Roedd Gwen wedi dod. Neidiodd pedwar ffermwr allan o'r Jaguar, ac roedd ffyn ffermwyr ganddyn nhw — ffyn mawr, trwm!

'Oes eisiau help arnoch chi yma?' gofynnodd un o'r ffermwyr. Roedd e'n edrych yn barod am ffeit! Roedd Gwen wedi dweud wrtho fe a'r ffermwyr eraill beth oedd yn digwydd yn y dafarn.

'Oes,' atebodd Seimon. 'Sefwch chi wrth y ffenest yma a chadw llygaid ar y drws hefyd. Mae dau ohonyn nhw wedi

wrtho'i hun — *to himelf*
diflannu — *to disappear*
yn araf — *slowly*
ffyn — *sticks*
trwm — *heavy*
beth oedd yn digwydd — *what was happening*

ceisio dod allan drwy'r ffenest unwaith. Maen nhw wedi cloi drws y parlwr, ond fe fyddan nhw'n agor y drws nawr, rydw i'n siŵr. Rydw i'n mynd i mewn i'r dafarn at Jac a'i wraig. Gwen! Ewch chi am dro!'

'O, na! Rydw i'n mwynhau gweld ffeit!'

Roedd Seimon yn barod wedi rhedeg i mewn i'r dafarn. Roedd drws y parlwr yn agor, a dyma un o'r lladron allan.

DWM! Roedd dwylo mawr gan Jac Ffransis, yr hen blismon.

FWMP! Fe syrthiodd y lleidr fel sach o datws i'r llawr.

Fe ddaeth lleidr arall drwy'r drws. Doedd dim lle i Seimon godi'r pocer, ac felly dyma fe'n neidio ar y lleidr. Syrthiodd y ddau i'r llawr a dyna lle roedden nhw wedyn yn ymladd fel cathod. Ond roedd Jac yno i helpu Seimon. Roedd e'n ddyn mawr trwm. Fe eisteddodd e ar ben y lleidr!

'Dyna ni, Seimon,' meddai Jac gan chwerthin. 'Dyna ddau ohonyn nhw'n *hors de combat*. Ble mae'r trydydd lleidr?'

Roedd y trydydd lleidr wedi gweld y ddau arall yn mynd i lawr. Fe redodd e'n ôl i'r parlwr ac at y ffenest. Fe roiodd e ei ben drwy'r ffenest.

CRAC! Fe ddaeth ffon un o'r ffermwyr i lawr ar ei ben.

'Aw . . . w . . . ch!' meddai'r lleidr a syrthio'n dawel allan drwy'r ffenest.

'Wel, mae un lleidr wedi dod allan, ond fydd e ddim yn mynd ymhell,' chwerthodd y ffermwr gan edrych ar y lleidr wrth ei draed.

'Hyfryd!' meddai ffermwr arall . . .

Hanner awr wedyn roedd dau gar polîs wedi dod o Lanymddyfri ac wedi mynd â'r tri lleidr i ffwrdd. Roedd meddyg wedi dod hefyd i weld y dyn o'r banc a'r hen blismon. Roedd y ddau wedi cael amser drwg iawn. Ond meddai'r meddyg, 'Fe fyddwch chi'n iawn mewn diwrnod neu ddau. Fe fydd dau lygad du gennych chi,' meddai fe wrth ddyn y banc, 'ond mae'r "dyn mawr" i lawr yn

y trydydd lleidr — ***the third thief***
fe roiodd e — ***he put***
ymhell — ***far***
meddyg — ***doctor***
fe fyddwch chi'n iawn — ***you'll be alright***

Llanymddyfri acw'n siŵr o roi diwrnod neu ddau i chi aros gartref. Fyddwch chi ddim yn edrych yn bert iawn y tu ôl i'r cownter fel rydych chi! ' Ac wrth yr hen blismon meddai fe, 'Rydych chi wedi bod mewn llawer ffeit o'r blaen. Dydy hyn ddim yn newydd i chi.'

Chwerthodd yr hen blismon.

'Nac ydy, siŵr. Ond roedd hi'n ffeit galed. Ac roedd ffyn y lladron yna'n galed hefyd,' meddai fe gan rwbio'i ben.

Wrth gwrs, roedd rhaid i Seimon a Gwen a Jac Ffransis . . . a'r ffermwyr hefyd . . . roi hanes yr ymladd ac ati i'r plismyn. Ac wedi rhoi popeth i lawr ar bapur, a gweld pawb a phopeth arall, fe ddaeth y sarjant i mewn i'r bar i ddiolch i Seimon a Gwen am eu help. Roedd y ddau nawr yn eistedd wrth y bwrdd a Jac Ffransis yn dodi eu cinio o'u blaen nhw.

'Diolch yn fawr i chi am eich help, Mr. a Mrs. Prys,' meddai fe.

'O, rydyn ni'n mwynhau diwrnod bach tawel yn y wlad,' atebodd Seimon gan chwerthin.

Fe chwerthodd y sarjant hefyd. Yna, fe welodd e beth oedd ar blatiau Seimon a Gwen. Fe droiodd e at Jac Ffransis.

'Eich ffrindiau wedi bod yn . . . ym . . . pysgota eto, Jac?'

'Mae pethau'n newid dwylo'n gyflym iawn yn y pentref yma, sarjant,' ac fe gaeodd Jac un llygad. Fe gaeodd y sarjent un llygad hefyd, a mynd allan gan chwerthin.

o'u blaen nhw — *in front of them, before them*

YR YSBRYD

HEN wraig garedig oedd Mrs. Ceinwen Gruffydd. Roedd ei gŵr hi wedi marw a gadael ffortiwn iddi hi a thŷ mawr braf yn y wlad. Roedd gerddi a lawntiau hyfryd o gwmpas y tŷ, a dyna lle roedd Mrs. Gruffydd bob awr o'r dydd, pan oedd y tywydd yn braf, yn gofalu am y blodau ac yn eistedd yn yr haul. Roedd enw'r tŷ mor bert â'r tŷ ei hun — Llain y Blodau.

Roedd garddwr gan Mrs. Gruffydd i wneud y gwaith caled. Wil Rhydderch oedd ei enw fe, a fe hefyd oedd yn gyrru ei char — yr Humber glas. Ond doedd Mrs. Gruffydd ddim yn hoff iawn o Wil. Cyn iddo fe ddod ati hi i weithio, roedd e wedi bod yn y carchar am bum mlynedd. Un o'i ffrindiau hi — un o'r *do-gooders* yma — oedd wedi gofyn iddi hi roi lle iddo fe. A doedd hi ddim yn gallu dweud 'Na,' — roedd hi'n wraig mor garedig. Ond chwarae teg i Wil, roedd e'n arddwr da — fe ddysgodd e'n dda yn y carchar! Roedd y tŷ a'r gerddi'n edrych fel pictiwr ganddo fe, ac roedd llawer o bobl, wrth basio, yn sefyll ac yn mwynhau edrych ar y lle.

Roedd dau neu dri o bobl wedi gofyn i Mrs. Gruffydd werthu'r tŷ iddyn nhw — roedden nhw mor hoff o'r lle. Un ohonyn nhw oedd Syr Joseff Stug. Roedd e wedi gwneud ffortiwn yn ei ffatri gwneud sosej yn y dref. Ond na, doedd Mrs. Gruffydd ddim yn fodlon gwerthu'r tŷ i neb. Roedd y lle mor annwyl iddi hi; roedd hi'n cofio'r dyddiau hapus yno

ysbryd (ysbrydion) m. — *ghost*
caredig — *kind, kindly*
gofalu am — *to look after*
mor bert â'r ty ei hun — *as pretty as the house itself*
cyn iddo fe ddod — *before he came*
carchar (carcharau) m. — *prison*
gwraig mor garedig — *such a kind woman*
gwerthu — *to sell*
mor hoff o'r lle — *so fond of the place*
bodlon — *willing*
i neb — *to anyone*
mor annwyl — *so dear*

gyda'i gŵr Ifan. Ac wrth gerdded o gwmpas y gerddi a gofalu am y blodau roedd hi'n gallu teimlo'i gŵr yn agos ati hi. Weithiau, roedd e yno gyda hi yn y gerddi, roedd hi'n siŵr. Doedd hi ddim yn credu mewn ysbrydion, ond roedd Ifan Gruffydd yn fyw iawn yn ei meddwl hi o hyd. Roedd Mari Williams, ei ffrind a'i morwyn, weithiau'n gweld yr hen wraig yn sefyll ynghanol yr ardd, ei llygaid ynghau a gwên hyfryd ar ei hwyneb, yn dweud enw ei gŵr yn dawel wrthi ei hun, 'Ifan! Ifan!'

Roedd Mari Williams yn hen fel ei meistres. Roedd *hi*'n ddigon parod i gredu mewn ysbrydion. Roedd hi wedi clywed llawer o hen storïau gan ei mam a'i mam-gu pan oedd hi'n blentyn — roedd hi wedi teimlo'r dŵr oer yn rhedeg i lawr ei chefn wrth wrando ar y ddwy, a nawr, pan oedd hi'n gweld ei meistres yn siarad â'i gŵr, wel . . . ond doedd hi ddim wedi gweld ysbryd . . . eto!

Oedd, roedd Mari'n hen. Roedd hi wedi dod i Lain y Blodau yn syth wedi iddi hi adael yr ysgol, pan oedd tad a mam Ifan Gruffydd yn byw yn y tŷ. Roedd hi yno pan fuodd y ddau farw; roedd hi yno i groesawu'r feistres newydd, Mrs. Ifan Gruffydd, pan ddaeth hi yno ar fraich Ifan Gruffydd. Roedd hi yno pan fuodd Ifan Gruffydd farw ddwy flynedd yn ôl. A nawr, wedi iddi hi golli ei gŵr, roedd Mrs. Gruffydd yn edrych arni hi, nid fel morwyn, ond fel ffrind a chwaer. Roedd y ddwy yn gwmni mor dda i'w gilydd yn eu hen ddyddiau.

Un nos Sadwrn roedd y ddwy'n eistedd wrth dân mawr braf yn gwylio'r teledu. Wel, roedd Mari'n gwylio'r teledu, ond roedd Mrs. Gruffydd yn eistedd a'i llygaid ynghau a'r wên hyfryd yna ar ei hwyneb. Roedd Mari'n nabod y wên yna, ac roedd hi'n gwybod beth oedd yn mynd ymlaen ym

credu — *to believe*
yn fyw — *alive*
meddwl, m. — *mind, thought*
morwyn, f. — *maid*
ynghau — *closed*
yn ddigon parod — *ready enough*
syth — *straight*
wedi iddi hi adael yr ysgol — *after she left school*
pan fuodd y ddau farw — *when both died*
yn gwmni mor dda — *such good company*
i'w gilydd — *to each other*
gwylio — *to watch*

meddwl ei meistres. Meddwl am ei gŵr roedd hi. Yn sydyn, dyna lais o bell yn galw, —

'Cein - wen! Cein - wen!'

Neidiodd Mari ar ei thraed mewn dychryn. Agorodd Mrs. Gruffydd ei llygaid ac roedd ofn ar ei hwyneb hi hefyd.

'Glywsoch chi, Mari?' meddai hi a'i llais yn crynu.

'Do . . . Do!' atebodd Mari. 'Roedd y llais yn debyg i . . .'

A dyna'r llais unwaith eto'n galw, —

'Cei . . . n - wen! Cei . . . n - wen!'

'Llais Mr. Gruffydd,' meddai Mari, ac roedd ei hwyneb hi mor wyn â'r eira. 'Mae e'n dod . . . dod o'r llofft.'

Roedd coesau Mari druan yn crynu dani hi, ac roedd rhaid iddi hi eistedd.

Dyna'r llais unwaith eto'n galw o bell, —

'Cei . . . n - we . . . n! Cei . . . n - we . . . n!'

'Ydy, mae e'n dod . . . mae e'n dod o'r llofft . . . o'r stafell lle buodd . . . lle buodd Mr. Gruffydd farw,' meddai Mari a'r geiriau'n crynu yn ei gwddw hi. 'Mae ei ysbryd e'n cerdded. Mae e wedi bod o gwmpas y lle am ddyddiau, a nawr mae e'n cerdded.'

'Mari!' meddai Mrs. Gruffydd a dychryn yn ei llais. 'Peidiwch â siarad fel yna. Nid llais Mr. Gruffydd oedd hwnna, rydw i'n siŵr. Does dim ysbrydion.'

'Oes, mae,' meddai Mari.

'Nac oes,' atebodd Mrs. Gruffydd, ac roedd y lliw'n dechrau dod yn ôl i'w hwyneb hi. 'Rhywun sy'n chwarae tric arnon ni. Hen dric cas iawn.'

'Nid tric oedd y llais yna,' meddai Mari. 'Roedd e mor debyg i lais . . .'

'Peidiwch, Mari! Peidiwch!'

Eisteddodd y ddwy hen wraig mor dawel â dwy lygoden

o bell — *from afar*
dychryn, m. — *fright, to frighten*
ofn — *fear*
crynu — *to tremble, to shiver*
yn debyg i — *like (in appearance)*
mor wyn â'r eira — *as white as snow*
o'r llofft — *from upstairs*
Oes, mae — *Yes, there are*
mor debyg i — *so much like*
mor dawel â — *as quiet as*
llygoden (llygod), f. — *mouse*

fach a gwrando, ond chlywson nhw mo'r llais eto, ond fe glywson nhw sŵn symud, sŵn traed yn llusgo yn y llofft.

'Ydy Wil yn y tŷ?' gofynnodd Mrs. Gruffydd.

Roedd dwy stafell, fel fflat bychan, gan Wil Rhydderch yn nhop y tŷ, lle roedd e'n byw ac yn cysgu, ac yn gwneud swper iddo'i hun pan oedd e'n dod i mewn yn ddiweddar yn y nos weithiau.

'Nac ydy,' oedd ateb Mari i gwestiwn ei meistres. 'Mae e wedi mynd i'r dref, fel mae e'n ei wneud bob nos Sadwrn.'

'Ac mae'r car ganddo fe?'

Roedd e'n cael yr Humber, dim ond iddo fe ofyn yn gyntaf.

'Ydy, mae'r car ganddo fe. Fe welais i e'n mynd allan.'

'Wel, mae lleidr yn y tŷ neu rywbeth,' meddai Mrs. Gruffydd. 'Rydw i'n mynd i edrych.' Ac fe gododd yr hen wraig a mynd at y drws.

'Na! Peidiwch! Peidiwch â bod mor ffôl! Arhoswch yma nes i Wil ddod adref,' galwodd Mari. 'Neu ffoniwch y polîs!'

Ond roedd Mrs. Gruffydd wedi agor drws y stafell, a throi pob golau ymlaen.

'Does neb yma,' meddai hi. 'Rydw i'n mynd i'r llofft.'

Roedd hi wedi colli ei hofn nawr. Roedd rhywun yn chwarae tric cas arni hi, ac roedd arni hi eisiau gwybod pwy. Wil, efallai.

'Ydych chi'n dod gyda fi, Mari? Does dim rhaid i chi ofni dim.'

Fe gododd Mari'n araf a mynd ar ôl ei meistres, a'i choesau'n crynu dani hi.

Fe droiodd Mrs. Gruffydd bob golau yn y tŷ ymlaen, ond welodd hi na Mari neb na dim. Naddo, welson nhw ddim, ond roedd sŵn y llais yn aros yn eu clustiau nhw o hyd. Roedd Mrs. Gruffydd wedi colli ei hofn, ond aeth dim un o'r ddwy i'r gwely y noson honno nes iddyn nhw glywed Wil

chlywsom nhw mo'r llais — *they did not hear the voice*
llusgo — *to drag*
diweddar — *late*
fel mae e'n ei wneud — *as he does*
dim ond iddo fe ofyn — *only for him to ask*
mor ffôl — *so foolish*
nes i Wil ddod adref — *until Wil comes home*
efallai — *perhaps*
welodd hi na Mari neb na dim — *neither she nor Mari saw anybody or anything*
nes iddyn nhw glywed — *until they heard*

yn dod adre'n hwyr ac yn rhoi'r car yn y garej. A chododd dim un o'r ddwy nes iddyn nhw glywed Wil yn mynd o gwmpas ei waith yn y bore.

Pan ddaeth Wil i'w frecwast yn y gegin, roedd Mrs. Gruffydd a Mari yno'n barod. Edrychodd Mrs. Gruffydd yn ofalus ar Wil. Fe oedd y llais yn y nos? Dwedodd hi ddim un gair wrtho fe pan ddaeth e i mewn, ond roedd rhaid i Mari ddweud y stori i gyd wrtho fe.

'Roedd ysbryd yn cerdded y tŷ yma neithiwr,' meddai hi.

Edrychodd Wil arni'n syn.

'Nac oedd!' meddai Wil a'i lygaid yn fawr yn ei ben.

'Oedd, ac fe glywson ni ei lais e hefyd,' aeth Mari ymlaen.

'Naddo!' meddai Wil a'i lygaid yn fawr eto. Ond chwerthin roedd e, roedd Mrs. Gruffydd yn siŵr. Ie, chwerthin roedd e, achos dyma fe'n gofyn, 'Sut lais oedd gan yr ysbryd, tenor neu fas?'

'Dydych chi ddim yn credu mewn ysbrydion,' meddai Mari.

'Credu mewn ysbrydion . . . Ha ha ha . . .' Chwerthodd Wil. 'Roedd y sgriws yn y carchar yn cerdded o gwmpas y lle fel ysbrydion yn nhraed eu 'sanau, ond welais i ddim un ysbryd, na chlywed dim un ysbryd erioed. Ond dwedwch, Miss Williams, beth glywsoch chi neithiwr?'

'Fe glywson ni . . .' dechreuodd Mari Williams, ond meddai Mrs. Gruffydd, 'Mari! Dyna ddigon!' Ac roedd rhywbeth yn ei llais hi i roi stop ar Mari. Agorodd neb mo'i geg drwy'r brecwast wedyn, dim ond i roi bwyd ynddi hi! Ond drwy'r amser roedd Mrs. Gruffydd yn gwylio Wil yn ofalus. Roedd ei wyneb e wedi mynd yn goch pan soniodd Mari am y llais. A chwerthin artiffisial oedd ei chwerthin e hefyd. A rhyfedd fel roedd e'n hoffi sôn am y carchar. Doedd

gofalus — *careful*
fe oedd y llais — *was he the voice*
achos — *because*
yn nhraed eu 'sanau — *in their stockinged feet*
erioed — *ever*
agorodd neb mo'i geg — *no one opened his mouth*
drwy'r brecwast — *throughout breakfast*
rhyfedd — *strange*
sôn — *to speak of, to mention*

Mrs. Gruffydd ddim yn deall hyn o gwbl. Oedd e'n meddwl ei hun yn ddyn achos roedd e wedi bod yn y carchar?

Wedi i Wil fynd yn ôl at ei waith, fe ffoniodd hi Seimon Prys. Fe fuon nhw'n siarad yn hir . . .

Dwy hen wraig nerfus oedd yn eistedd wrth y tân y noson wedyn. Wel, roedd un yn nerfus; roedd y llall yn gwrando'n ofalus. Ond chlywson nhw ddim llais na sŵn traed yn llusgo yn y llofft uwchben. Pan oedd hi'n amser i Mari fynd i baratoi swper, fe ofynnodd Mrs. Gruffydd, —

'Ydy Wil wedi mynd i'r dref heno, Mari?'

'Nac ydy. Dydw i ddim yn meddwl. Fe welais i e'n rhoi'r car yn y garej ac yn cloi'r lle wedyn.'

'Da iawn,' meddai Mrs. Gruffydd.

'Ie,' meddai Mari. 'Dydw i ddim yn nerfus pan mae Wil yn y tŷ.'

'Ydych chi'n gwybod ble mae Wil yn mynd pan mae e'n mynd i'r dref?' gofynnodd Mrs. Gruffydd wedyn.

'I un o'r tafarnau, mae'n siŵr. Rydw i wedi ei glywed e'n sôn yn aml am y Black Swan. Dyna lle mae e'n mynd bob nos Sadwrn, rydw i'n meddwl, Mrs. Gruffydd.'

'Y Black Swan? Mae rhaid i fi gofio'r enw yna.'

Edrychodd Mari ar ei meistres.

'Cofio'r enw? Ydych chi'n meddwl mynd yno ryw noson?'

Chwerthin wnaeth y ddwy, ac fe aeth Mari i'r gegin i baratoi swper.

Fe ffoniodd Mrs. Gruffydd Seimon Prys y bore wedyn eto.

Ac felly buodd hi drwy'r wythnos honno — y ddwy hen wraig yn eistedd wrth y tân ac yn gwrando am y llais. Chlywson nhw dim byd, ond roedden nhw'n siŵr o'i glywed e eto — roedd Seimon Prys wedi dweud hynny wrth Mrs.

deall — *to undersland*
meddwl ei hun yn ddyn—*thinking himself a man*
wedi i Wil fynd — *after Wil had gone*
paratoi — *to prepare*
Rydw i wedi ei glywed e — *I have heard him*
ryw (rhyw) noson — *some night*
chwerthin wnaeth y ddwy — *both laughed*
drwy'r wythnos honno — *throughout that week*

Gruffydd, ac roedd hi'n barod i'w gredu fe. Ond ddwedodd hi ddim un gair wrth Mari am hynny.

Nos Wener, fe ddaeth Wil Rhydderch at Mrs. Gruffydd a gofyn am y car. Roedd arno fe eisiau mynd i'r dref, meddai fe.

'Wrth gwrs, Wil,' atebodd yr hen wraig garedig. 'Ble rydych chi'n mynd heno, Wil? I'r Black Swan?'

'I'r Black Swan?' Edrychodd Wil yn gas ar Mrs. Gruffydd. 'Wel, ydw . . . efallai.'

Yn syth wedi iddo fe fynd allan i'r garej, fe aeth Mrs. Gruffydd at y ffôn. Ond nid ffonio cartref Seimon Prys wnaeth hi, ond caban ffonio i lawr y ffordd. Roedd Triumph 2000 yn sefyll wrth y caban.

Welodd Wil mo'r Triumph, na'i weld e'n ei ddilyn e i lawr i'r dref. Aeth Wil ddim i'r Black Swan, ond wedi iddo fe groesi i ochr arall y dref, fe arhosodd e y tu allan i dŷ mawr.

'Fel roeddwn i'n meddwl,' meddai Seimon Prys wrth ei wraig, Gwen, yn y Triumph 2000. 'Fe fydd Mrs. Gruffydd yn clywed y llais nos yfory eto, rydw i'n siŵr.'

Do, fe glywodd hi'r llais. Roedd hi a Mari wedi cael swper cynnar, ac roedden nhw'n eistedd wrth y tân am funud bach cyn mynd i'r gwely. Yn sydyn, dyna'r llais yn galw o bell.

'Ceinwen! Cei . . . n - wen!'

Neidiodd Mari ar ei thraed ar unwaith.

'Dyna fe eto! Nawr ydych chi'n credu mewn ysbrydion?'

Gwenu wnaeth Mrs. Gruffydd. Roedd hi wedi bod yn aros am y llais, a dyma fe.

'Nac ydw,' atebodd hi. 'Gwrandewch eto, Mari. Fe fydd y traed yn llusgo ar hyd y llofft uwchben mewn munud. Ust! Dyna'r llais eto.'

i'w gredu (fe) — *to believe him*
efallai — *perhaps*
wedi iddo fynd allan — *after he had gone out*
caban ffonio — *telephone kiosk*
welodd Wil mo'r Triumph — *Wil did not see the Triumph*
yn ei ddilyn e — *following him*
fel roeddwn i'n meddwl — *as I thought*
nos yfory — *tomorrow night*
uwchben — *above*

'Cei . . . n - we . . . n! Cei . . . ei . . . n - wen! ! '

Roedd wyneb Mari mor wyn â sialc, ond roedd Mrs. Gruffydd yn gwenu'n braf.

'Y traed nawr, Mari! Gwrandewch! '

A dyna sŵn y traed yn llusgo a'r llais yn galw eto.

'Cei . . . n - wen! Cei . . . ' ac fe stopiodd y llais ar hanner y gair.

'Dyna fe wedi ei ddal e,' meddai Mrs. Gruffydd, a'i hwyneb hi mor hapus ag wyneb plentyn ar fore Nadolig.

'Be . . . Be . . . Beth? ' gofynnodd Mari. 'P . . . P . . . Pwy sy wedi d . . . d . . . p . . . p . . . pwy? '

'Seimon Prys sy wedi ei ddal e.'

'D . . . d . . . Dal p . . . pwy? '

'Yr ysbryd, wrth gwrs.'

'Yr ys . . . '

Orffennodd Mari mo'r gair achos fe agorodd drws y stafell, a phwy ddaeth i mewn ond Wil Rhydderch a Seimon Prys yn ei ddilyn e.

'Fel roeddwn i'n meddwl . . . Na, fel roeddech chi'n meddwl, Mrs. Gruffydd,' meddai Seimon. 'Dyma'r ysbryd. Roedd Gwen a fi'n ei wylio fe'n mynd i lawr i'r Black Swan, ond fe ddes i'n ôl yma ar unwaith. Diolch i chi am adael drws y cefn heb ei gloi. Roeddwn i'n barod wrth y ffenest yn y stafell uwchben pan fflachiodd Gwen ei golau. Roedd Wil ar ei ffordd wedyn, roeddwn i'n gwybod.'

'Ble mae Gwen nawr? ' gofynnodd Mrs. Gruffydd.

'Mae hi y tu allan yn rhywle,' atebodd Seimon. 'Ond fe fydd hi yma yn fuan nawr.'

Roedd Wil Rhydderch yn gwrando'n syn ar y ddau'n siarad. Roedd yr hen wraig ddwl yma wedi bod yn ei wylio fe wedi'r cwbl, ac roedd hi wedi cael help y dyn yma a rhyw Gwen. Beth oedd ei enw fe? Prys? Dyna ddwedodd yr hen wraig. Yn sydyn roedd e'n deall y cwbl. Roedd e wedi

mor wyn â sialc — *as white as chalk*
Dyna fe wedi ei ddal e — *He has caught him*
mor hapus ag wyneb plentyn — *as happy as a child's face*
yn ei wylio fe — *watching him*
fe ddes i — *I came*
heb ei gloi — *unlocked*
wedi'r cwbl — *after all*

clywed am y Prys yma yn y carchar. Ditectif oedd e.

'Wel, Mr. Blydi Prys, beth rydych chi'n mynd i'w wneud â fi?' meddai fe gan edrych yn gas ar Seimon.

'Wel, does ar Mrs. Gruffydd ddim eisiau eich rhoi chi yn nwylo'r polîs eto, ond fe fydd gwaith arall gan Joe Stug i chi yn ei ffatri gwneud sosej, rydw i'n siŵr.'

'Joe Stug?' meddai Wil Rhydderch. Doedd e ddim yn gallu credu ei glustiau ei hun. Beth roedden nhw'n ei wybod am Joe Stug?

'Syr Joseph Stug, a rhoi ei enw yn llawn i chi,' meddai Seimon. 'Fe fuoch chi'n ei weld e neithiwr. Roedd Gwen — fy ngwraig, rydych chi'n deall — a fi'n eich gwylio chi neithiwr. Mae Gwen a fi wedi bod yn aros wrth y caban ffonio i lawr y ffordd bob nos yr wythnos yma, wedi i Mrs. Gruffydd fy ffonio i fore Sul diwetha.'

'Fe fuoch chi'n garedig iawn, Mr. Prys . . . a Gwen hefyd . . . Helo, dyma hi nawr.'

Fe aeth yr hen wraig mor gyflym ag roedd hi'n gallu at y drws i'w chroesawu hi.

Fe edrychodd Gwen o gwmpas y stafell.

'Fe ddalioch chi fe, Seimon,' meddai hi.

'Do, siŵr Gwen. Ble mae'r car — car Mrs. Gruffydd?'

'O, fe stopiodd yr . . . ym . . . ysbryd i lawr y ffordd a cherddded wedyn at y tŷ. Dyna beth wnaeth e nos Sadwrn diwetha, mae'n siŵr.'

'Beth?' meddai Mari. Roedd hi wedi bod yn gwrando ar y cwbl a'i cheg ar agor a'i llygaid hi'n symud o un siaradwr i'r nesa fel person yn gwylio gêm denis. 'Beth wnaeth e nos Sadwrn diwetha?'

'Wel, gadael y car i lawr y ffordd, dod i mewn i'r tŷ yn dawel drwy ddrws y cefn, ac wedyn mynd i'r llofft gan weiddi enw Mrs. Gruffydd i'ch dychryn chi,' dwedodd Seimon.

eich rhoi chi — *to put you*
gwaith arall — *other work*
llawn — *full*
fe fuoch chi yn ei weld e — *you went to see him*
neithiwr — *last night*
wedi i Mrs. Gruffydd fy ffonio i — *after Mrs. Gruffydd phoned me*
diwetha — *last*
i'ch dychryn chi — *to frighten you*

'A fe, Wil Rhydderch, oedd yr . . . yr ysbryd?'

'Ie, Mari. Fe oedd yr ysbryd.'

'Ond pam roedd e'n ceisio'n dychryn ni, Mr. Prys . . . Dyna'ch enw chi, ie?' gofynnodd Mari.

'Ie, dyna f'enw i. Ac rydych chi'n gofyn pam roedd Wil Rhydderch yn ceisio'ch dychryn chi. Yn syml, mae'r tŷ yma, Llain y Blodau, yn dŷ hyfryd iawn. Roedd ar Syr Joseph Stug eisiau prynu'r tŷ, ond doedd Mrs. Gruffydd ddim yn fodlon ei werthu . . .'

'Wel, nac oedd,' meddai Mari, 'a'r teulu wedi bod yn byw yma am flynyddoedd.'

'Na, doedd Mrs. Gruffydd ddim yn fodlon gwerthu'r tŷ, ac felly, fe geisiodd Joe Stug ei dychryn hi allan o'r lle gyda help Wil Rhydderch.'

'A Wil Rhydderch oedd yn llusgo'i draed ac yn gweiddi enw Mrs. Gruffydd?'

'Ie.'

'Ach! Y dyn drwg! A Mrs. Gruffydd wedi bod mor garedig wrthoch chi,' meddai Mari gan edrych yn gas ar Wil, a Wil druan yn teimlo fel ci'n cael ffon ar ei gefn. ''Nôl i'r carchar â fe, Mrs. Gruffydd! Dyna'i le fe.' Yn sydyn, dyma wyneb Mari'n newid. Roedd hi wedi cofio rhywbeth. 'Rydw i'n cofio nawr. Doedd dim ofn arnoch chi, Mrs. Gruffydd, i fynd i'r llofft. Roedd rhywun yn chwarae tric, meddech chi. A nawr rydw i'n gweld. Roeddech chi wedi nabod ei lais e.'

'Nac oeddwn, Mari,' atebodd Mrs. Gruffydd. 'Doeddwn i ddim yn nabod ei lais e, ond rydw i'n cofio llais fy ngŵr yn ddigon da, ac nid llais Ifan oedd yn galw o'r llofft. A pheth arall, Mari, doedd Ifan byth yn galw "Ceinwen" arna i . . .'

'Wel, nac oedd,' meddai Mari. '"Ceini" roedd e'n eich galw chi bob amser. Ie, "Ceini," rydw i'n cofio nawr. A chi,' meddai hi gan droi at Wil, 'i fyny'r llofft yna â chi a phacio'ch

ein dychryn ni — *to frighten us*
syml — *simple*
prynu — *to buy*
yn fodlon ei werthu — *willing to sell it*
mor garedig wrthoch chi — *so kind to you*
yn ddigon da — *good enough*
doedd Ifan byth yn galw — *Ifan never called*

bagiau, a ffwrdd â chi at y Joe Stug yna, neu fe fydda i'n galw'r polîs.'

'Peidiwch â bod mor gas, Mari,' meddai Mrs. Gruffydd. 'Fydd Wil byth yn gwneud dim fel hyn eto, rydw i'n siŵr.'

Fe welodd Wil ei siawns ar unwaith. Roedd lle da ganddo fe yn Llain y Blodau. Doedd arno fe ddim eisiau colli'r lle, ac os oedd hi'n bosibl aros yno, wel . . .

'Na, fydda i byth yn gwneud dim fel hyn eto. Rhowch siawns arall i fi, Mrs. Gruffydd. Rhowch siawns arall i fi! '

Edrychodd Mrs. Gruffydd arno fe. Roedd hi'n hen ac yn garedig, ond doedd hi ddim yn dwp. Doedd e ddim yn debyg o roi trwbwl iddi hi byth eto; roedd hi'n siŵr o hynny, ac roedd e'n arddwr mor dda. Roedd hi'n anodd cael garddwyr da y dyddiau yma. Ac meddai hi, —

'O'r gorau, Wil. Ond dwedwch yn gyntaf, faint gawsoch chi gan Syr Joseph Stug am eich gwaith? '

'Faint ges i? '

'Faint o arian gawsoch chi am ein dychryn ni allan o'r tŷ yma? '

'Ches i ddim byd eto. Dydw i ddim wedi'ch dychryn chi allan o'r tŷ eto, a doedd e ddim yn mynd i 'nhalu i nes i fi wneud hynny.'

'Chawsoch chi ddim byd? '

'Naddo, ddim byd.'

Roedd Seimon a Gwen yn gwylio ac yn gwrando'n ofalus. Roedd un peth yn amlwg i'r ddau — roedd Wil Rhydderch yn mynd i aros yn Llain y Blodau. Roedd hynny'n amlwg i Mari hefyd, ac meddai hi, —

'Ydy'r dyn yma'n aros yn Llain y Blodau, Mrs. Gruffydd? '

'Ydy, Mari.'

'Wel, fydda i ddim yn credu mewn ysbrydion eto, ond os bydda i'n gweld un, fe fydd e'n cael ffon ar ei gefn yn syth.'

mor gas — *so nasty, horrid*
dim fel hyn — *anything like this*
os oedd hi'n bosibl — *if it was possible*
garddwr mor dda — *such a good gardener*
anodd — *difficult*
faint gawsoch chi gan—*how much did you get from*
i 'nhalu i — *to pay me*
nes i fi wneud hynny — *until I did that*
amlwg — *obvious*

Chwerthodd Mrs. Gruffydd a Seimon a Gwen. Fe ddaeth gwên fach i wyneb Wil Rhydderch hefyd, gwên fach slei. Doedd dim eisiau i Mrs. Gruffydd wybod am hanner can punt Joe Stug. Roedd hwnnw'n saff ganddo fe yn ei stafell i fyny yn nhop y tŷ . . .

hanner cant punt — *fifty pounds (£50)*

LLADRON Y FFORDD FAWR

ROEDD Seimon Prys yn eistedd wrth ei ddesg yn ei stafell breifat. O'i flaen e roedd map mawr a Seimon yn ei astudio fe'i ofalus iawn.

Dyna gnoc ar y drws ac fe ddaeth Gwen i mewn.

'Cwpanaid o goffi, Seimon. Mae hi'n ganol y bore,' meddai hi.

'E? Canol beth?' Roedd meddwl Seimon ar y map o'i flaen.

'Canol y bore, ac mae hi'n amser coffi.'

'O . . . ie. Rhowch e ar y gornel acw.'

'O'r gorau, Seimon. Ond cofiwch ei yfed e. Fe fydda i'n ôl mewn deng munud i nôl y cwpan.'

'Fe fydda i'n ei yfed e ar unwaith, Gwen.'

Deng munud wedyn fe ddaeth Gwen yn ôl, ond doedd Seimon ddim wedi yfed y coffi.

'Edrychwch, Seimon. Dydych chi ddim wedi yfed y coffi yma. Mae e wedi mynd yn oer,' meddai Gwen yn ddig.

'E? O, mae'n ddrwg gen i, Gwen. Roeddwn i'n astudio'r map yma.'

'Oeddech. Mae hynny'n amlwg. Ond dwedwch, Seimon, beth ydy'r map yma?'

'Map o'r ffyrdd sy'n arwain allan o Gaerolau ydy e.'

'O, ie!'

'Wel, map o'r ffyrdd sy'n arwain o Gaerolau i'r Canoldir — Birmingham, Coventry, Nottingham, ac ati.'

'Pam rydych chi'n ei astudio fe mor galed, Seimon?'

'Wil Mat — Wil Matthias — sy wedi gofyn i fi wneud job iddo fe. Rydych chi'n nabod Wil Matthias, Gwen.'

yn ei astudio fe — *studying it*
canol beth?—*the middle of what?*
ei yfed e — *to drink it*
dig — *angry*
mae'n ddrwg gen i — *I'm sorry*
y ffyrdd sy'n arwain . . . — *the roads that lead . . .*

'Ydw, rydw i'n ei nabod e. Fe sy'n eich curo chi bob tro rydych chi'n chwarae golff.

'O, nid bob tro, Gwen. Roedden ni'n chwarae . . .'

'Cyn i chi ddechrau dweud mor anlwcus oeddech chi y tro diwetha, Seimon, dwedwch beth ydy'r job yma.'

'Wel, mae hi'n stori hir, Gwen. Ond fel rydych chi'n gwybod, mae nifer mawr o lorïau gan Wil, lorïau sy'n rhedeg yn ôl ac ymlaen rhwng Caerolau a'r Canoldir. Ond yn ddiweddar mae tair o'r lorïau yma wedi diflannu, a does neb yn gwybod beth sy wedi digwydd iddyn nhw.'

'Fe fydd Wil Mat yn rhy dlawd i chwarae golff gyda chi cyn bo hir!'

'Fft! Byddwch yn dawel, Gwen, neu fydda i ddim yn dweud . . .'

'Mae'n ddrwg gen i Seimon. Dwedwch! Beth oedd yn y lorïau yna?'

'Cotiau ffwr, setiau teledu lliw, tybaco . . .'

'Cotiau ffwr? O, rydw i'n gwybod pwy ydy'r lladron, Seimon.'

'O? Pwy?'

'Gang o ferched tlawd fel fi!'

'Gwen!' Roedd Seimon yn colli ei dymer.

'Mae'n ddrwg gen i. Ewch ymlaen â'r stori, os gwelwch yn dda. Roeddech chi'n sôn am y lorïau yma sy wedi diflannu . . . ym . . . Dwedwch, Seimon, sut diflannon nhw? Pryd diflannon nhw? Dydy'r gyrwyr ddim wedi diflannu hefyd?'

'Nac ydyn, wrth gwrs. Y tro cynta, fe ddiflannodd y lori pan aeth y gyrrwr a'i fêt i gaffe nos i gael tamaid o fwyd.'

'Pan ddaethon nhw allan, ar ôl iddyn nhw gael eu tamaid, roedd y lori wedi mynd?'

'Dyna fe.'

yn ei nabod e — *knowing him*
Fe sy'n eich curo chi — *It is he who beats you*
bob tro — *every time*
cyn i chi ddechrau — *before you start*
mor anlwcus — *how unlucky*
lorïau sy'n rhedeg — *lorries which run*
yn ddiweddar — *lately, recently*
rhy dlawd — *too poor*
tymer, m. — *temper*
y lorïau yma sy wedi diflannu — *these lorries that have disappeared*
tamaid o fwyd — *a bit of food*
ar ôl iddyn nhw gael — *after they had had*

'Oedd y gyrrwr wedi cloi'r drws ac ati?'

'Oedd, meddai fe.'

'Roedd allwedd gan y lladron?'

'Oedd, efallai.'

'Beth am yr ail lori?'

'Fe aeth gyrrwr y lori yma a'i fêt i mewn i gaffe nos. A rhyw ffordd neu ei gilydd, pan oedd y ddau yn y caffe, fe aeth tri dyn i mewn i gefn y lori.'

'Doedd dim allwedd ganddyn nhw i fynd i mewn i'r caban?'

'Efallai, Gwen. Wedi i'r gyrrwr a'i fêt gael eu tamaid, i ffwrdd â nhw unwaith eto. Doedden nhw'n gwybod dim am y tri dyn yng nghefn y lori. Pan ddaethon nhw at le tawel ar y ffordd dyma'r lladron yn torri'r ffenest fach sy y tu ôl i'r gyrrwr yn y caban. Pan edrychodd y gyrrwr dros ei ysgwydd i weld beth oedd wedi digwydd, dyna lle roedd dau rifolfer, un yn pwyntio ato fe, a'r llall at ei fêt. Roedd rhaid i'r gyrrwr aros neu gael bwled. Wedyn, fe ddaeth trydydd dyn ac agor drws y caban. Roedd rifolfer ganddo fe hefyd, a . . . wel, fe ddaeth y gyrrwr a'i fêt allan yn ddigon tawel. Fe aeth y trydydd dyn i mewn i'r caban a gyrru i ffwrdd.'

'A gadael y gyrrwr a'r llall ar ochr y ffordd.'

'Dyna fe, Gwen.'

'Welodd neb mo'r lori wedyn?'

'Naddo — neb oedd yn gallu nabod y lori.'

'Y drydedd lori, Seimon. Beth ddigwyddodd iddi hi?'

'Fe ddiflannodd y ddwy lori gynta yn y nos, ond fe ddiflannodd hon — y drydedd — yng ngolau dydd.'

'Yng ngolau dydd? Sut, Seimon?'

'Roedd y gyrrwr ar ei ffordd i'r Canoldir — i Birmingham y tro yma — a doedd dim mêt gyda fe. Fe ddaeth e at le tawel ar y ffordd, ac yn sydyn dyna ddyn yn neidio allan o

rhyw ffordd neu ei gilydd — *somehow (some way) or another*
caban, m. — *cab, cabin*
a'r llall — *and the other*
welodd neb mo'r lori — *no one saw the lorry*
neb oedd yn gallu nabod—*no one that could recognise*
y drydedd — *the third* (fem.)

goed ar ochr y ffordd. Roedd afon yn rhedeg drwy'r coed. Roedd y dyn yma'n chwifio'i freichiau'n wyllt ac yn gweiddi, ac yn naturiol, fe arhosodd y gyrrwr. Roedd y dyn—meddai fe — wedi bod yn cerdded ar lan yr afon gyda'i ffrind pan syrthiodd y ffrind i'r afon. Doedd e — y dyn — a'i ffrind ddim yn gallu nofio, meddai fe, a dyma'r gyrrwr yn rhedeg i lawr at lan yr afon. Doedd dim sôn am y ffrind yn y dŵr, ond fe ddangosodd y dyn lle roedd ei ffrind wedi syrthio. Roedd y gyrrwr yn gallu nofio'n dda, ac felly dyma fe'n tynnu ei gôt a'i esgidiau, a neidio i'r dŵr. Ar unwaith fe redodd y dyn yn ôl at y ffordd. I mewn ag e i'r lori a gyrru i ffwrdd! '

'Wel, ar fy ngair! Mae rhaid dal y lladron yma ryw ffordd neu ei gilydd, Seimon,' meddai Gwen. 'Mae'n ddrwg gen i dros Wil Mat yn colli ei loriau fel hyn. Oes syniad gennych chi pwy ydy'r lladron yma? '

'Nac oes, dim syniad. Rhyw gang sy y tu ôl i'r peth. Maen nhw'n "gweithio" un rhan o'r wlad ac wedyn yn symud i ran arall. Ryw ffordd neu ei gilydd, maen nhw'n gwybod amserau'r loriau ac i ble maen nhw'n mynd. Roedden nhw'n gwybod lle i chwarae'r tric yma ar yrrwr y drydedd lori.'

'A dydych chi ddim yn gwybod sut na ble maen nhw'n cael y wybodaeth yma? '

'Wel, mae syniad gennyn ni — syniad da iawn.'

'Sut, Seimon? '

'Maen nhw'n cael y wybodaeth yma gan un o'r dynion sy'n gweithio i Wil Mat.'

'Ydych chi'n gwybod pwy ydy'r dyn? '

'Mae syniad gennyn ni.'

'Pwy ydy e? '

'Gyrrwr o'r enw Grab Jones — wel, dyna beth mae pawb yn ei alw fe.'

chwifio — *to wave*
gwyllt — *wild*
sôn, m. — *sign (talk, mention)*
mae'n ddrwg gen i dros — *I'm sorry for*
syniad, m. — *idea*
rhan (rhannau), f. — *part*
gwybodaeth, f. — *knowledge, information*
un o'r dynion sy'n gweithio — *one of the men who work*

'Beth sy'n gwneud i chi feddwl am y . . . Grab Jones yma?'

'Yn gynta, mae e'n un o'r dynion sy wedi colli lori. *Fe* gollodd y lori gynta. Mae llawer o arian ganddo fe y dyddiau yma. Fe enillodd e'r arian ar y *pools*, meddai fe. Ond enillodd e ddim un geiniog ar y *pools*.'

'Naddo? Sut rydych chi'n gwybod?'

'Drwy'r hen gyfaill, Inspector Jim Daniel.'

'Jim Daniel? Ac mae'r polîs ar ôl y lladron yma hefyd?'

'Yn naturiol, Gwen. Roedd rhaid rhoi'r wybodaeth iddyn nhw. Mae Jim wedi gofyn i bob cwmni *pools* yn y wlad . . .'

'A dydy . . . beth ydy ei enw fe . . . Grab Jones . . . ddim wedi ennill un geiniog?'

'Nac ydy, dim un geiniog!'

'Wel, beth nesa, Seimon?'

'Yn syml, cadw'n llygaid ni ar y cyfaill, Grab Jones. Mae'n amhosibl cadw llygaid arno fe bob awr o'r dydd, ond bob tro bydd e'n mynd allan yn ei lori fe fydda i'n ei ddilyn e i bob man. Wel, fi neu'r polîs . . . neu Wil Mat ei hun. Mae e'n siŵr o'n harwain ni at y gang yma rywbryd, rywffordd. Bydd, fe fydd rhywun ar ei drac e bob tro mae e'n mynd allan yn ei lori nes i ni gael ein dwylo ni ar y lladron yma.'

'Pryd byddwch chi'n mynd ar ei drac e, Seimon?'

'Bob nos bydd Grab yn mynd allan yn ei lori.'

'Waw!' meddai Gwen ac eistedd yn drwm ar gadair. Doedd hi ddim yn hoffi'r syniad o aros yn y tŷ bob nos ar ei phen ei hun.

'Fydd Wil Mat yn y car gyda chi, Seimon?' gofynnodd Gwen wedyn.

'Na fydd. Fe fydda i ar fy mhen fy hun. Fe fydd gwaith arall gan Wil.'

un o'r dynion sy wedi colli . . . — *one of the men who has lost . . .*
fe gollodd y lori gynta — *it was he who lost the first lorry*
ceiniog (ceiniogau), f. — *penny*
holi, — *to question, to inquire*
i bob man — *everywhere*
siŵr o'n harwain ni — *sure to lead us*
Wil Mat ei hun — *Wil Mat himself*
nes i ni gael ein dwylo ni — *until we get our hands*
ar ei phen ei hun — *on her own*
ar fy mhen fy hun — *on my own*

'O! Fe fydd eisiau mêt yn y car gyda chi, Seimon,' meddai Gwen gan edrych yn syth i lygaid Seimon.

'Beth, gofyn am job rydych chi, Gwen?' gofynnodd Seimon gan chwerthin. 'Na, Gwen; fyddwch chi ddim yn hoffi'r job yma o gwbl. Oes . . . ym . . . rhagor o goffi, Gwen? Mae hwn yn oer.'

Cerddodd Gwen yn araf a thrist allan o'r stafell. Nac oedd, doedd hi ddim yn hoffi'r syniad o fod yn y tŷ ar ei phen ei hun bob nos — bob nos nes iddyn nhw ddal y lladron yma . . . Yna, fe gofiodd hi rywbeth arall. Roedd y lladron yma'n cario gynnau. Roedd gwn . . . rifolfer . . . gan bob un o'r lladron oedd yn yr ail lori! Fe ddaeth rhyw ofn mawr drosti hi, a rhedodd hi'n ôl i'r stafell at Seimon.

'Seimon! Mae'r lladron yma'n cario gynnau bob un. Dydw i ddim yn aros yn y tŷ yma ar fy mhen fy hun bob nos, a dydych chi ddim yn gyrru'r car yna bob nos ar pen eich hun. Rydw i'n dod gyda chi.'

Edrychodd Seimon ar ei wraig. Roedd hi mor brydferth, ac roedd e mor hoff ohoni hi.

'Fe fydd gwn gen i hefyd, Gwen. Mae'n ddrwg gen i, ond dydych chi ddim . . .' dechreuodd Seimon.

Safodd Gwen ac edrych arno fe.

'Gwrandewch, Seimon Prys! Rydw i'n rhoi fy nhroed i lawr. Rydw i'n dod gyda chi, neu . . . neu . . . dydych chi ddim yn . . . ym . . . cael rhagor o goffi.'

Gwenodd Seimon. Roedd e'n nabod ei wraig yn dda iawn.

'Rhagor o goffi, os gwelwch yn dda.'

'O, diolch Seimon. Fe fydda i'n fêt da.'

'Byddwch, rydw i'n siŵr.'

'Pryd rydyn ni'n dechrau?'

'Heno, Gwen . . . heno! Fe fydd Grab Jones yn mynd â'i

rhagor — *more*
trist — *sad*
nes iddynt nhw ddal — *until they catch*
lladron oedd yn yr ail lori — *thieves that were in the second lorry*
ar eich pen eich hun — *on your own*
mor brydferth — *so beautiful*
mor hoff — *so fond*

lori i Birmingham heno. A'r lle gorau i ni y prynhawn yma ydy'r gwely. Mae rhaid i ni gysgu rywbryd, Gwen . . .'

* * * *

Y noson honno, am ddeg o'r gloch, roedd Seimon a Gwen yn eu Triumph 2000 yn y cysgod y tu allan i iard fawr Wil Matthias. Roedd Gwen wedi paratoi'n dda. Roedd côt fawr ganddi hi amdani, blanced yn y sedd gefn, a bwyd a choffi poeth mewn fflasg mewn basged yno hefyd.

Dyma ddrysau mawr yr iard yn agor, ac fe ddaeth lori fawr allan.

'Dyna hi lori Grab Jones. Ydych chi'n gweld y rhif? CCH 337 G,' meddai Seimon.

'Mae mêt gyda fe,' meddai Gwen. 'Pwy ydy e?'

'Jos Owen.'

'Ydy e'n un sy'n rhoi gwybodaeth i'r gang yma, Seimon?'

'Nac ydy, dydw i ddim yn meddwl. Mae Jim Daniel wedi bod yn holi tipyn amdano fe hefyd.'

'O?'

'A dydy e ddim yn ddyn hapus o gwbl yn ddiweddar. Mae rhywbeth ar ei feddwl e, mae Jim yn siŵr.'

'Mae e'n gwybod beth mae Grab wedi bod yn ei wneud, efallai.'

'Ydy, rydw i'n credu. Dydy e ddim yn hoffi bod gyda Grab o gwbl nawr. Fel mater o ffaith, mae e wedi bod yn holi Wil Mat am job arall.'

'Fydd Wil yn rhoi job arall iddo fe?'

'Na fydd . . . nes i ni ddal y gang yma. Fe fydd Jos yn help mawr i ni ryw ddydd efallai.'

'Neu nos, Seimon.'

'Neu nos, fel rydych chi'n dweud, Gwen. A nawr, rydyn ni'n rhoi dau funud i Grab, ac wedyn i ffwrdd â ni ar ei ôl e.'

cysgod (cysgodion), m. — *shadow*
sedd (seddau), f. — *seat*
rhif (rhifau), m. — *number*
un sy'n rhoi gwybodaeth — *one who gives information*
holi — *to question*
nes i ddal — *until we catch*
ryw ddydd — *some day*

Deuddeng milltir allan o Gaerolau fe welodd Seimon a Gwen y lori fawr — lori Grab Jones — o'u blaen nhw.

'Dyna hi, lori Grab,' meddai Gwen. 'Ydych chi am ei phasio hi?'

'Fe fydda i'n ei phasio hi unwaith yn y nos, a dim ond unwaith. Fe fydd Grab yn gwylio pob car fydd yn ei basio fe, ac os bydd car yn ei basio fe fwy nag unwaith, neu os bydd car yn ei ddilyn e'n rhy hir, wel, fe fydd Grab yn dechrau meddwl rhywbeth.'

'Bydd, yn ddigon siŵr.'

'Fe fyddwn ni'n ei ddilyn e am ychydig o filltiroedd ac aros. Gadael iddo fe fynd ychydig o filltiroedd eto; yna ar ei ôl e unwaith eto . . .'

'Ac fe fyddwn ni'n cael tamaid o fwyd pan fyddwn ni'n aros, Seimon.'

'Byddwn.'

'Ond, Seimon, fydd hi'n bosibl i ni ei golli fe pan fyddwn ni'n aros?'

'Wel, rydw i wedi astudio'r map yn ofalus, Gwen, ac rydw i'n gwybod y lleoedd gorau i aros.'

Ac felly, milltir ar ôl milltir, fe ddilynodd Seimon y lori fawr. Weithiau roedd y lori'n diflannu rownd tro yn y ffordd. Roedd Seimon yn mynd yn fwy cyflym wedyn nes i'r lori ddod i'r golwg unwaith eto.

Ychydig ar ôl canol nos, meddai Seimon, —

'Dwy filltir ymlaen mae yna gaffe nos, Gwen. Mwy na thebyg fe fydd Grab yn aros am damaid o fwyd yno. Tybed fydd e'n gwneud fel mae Wil Matthias wedi dweud wrtho fe.'

'Beth ydy hwnnw, Seimon?'

'Dydy'r ddau — Grab a'i fêt — ddim i fynd i mewn i'r caffe gyda'i gilydd. Mae rhaid i un aros yn y lori.'

o'u blaen nhw — *in front of them*
ei phasio hi — *to pass it* (fem.)
pob car fydd yn ei basio fe—*every car that passes (will pass) him*
ychydig o filltiroedd — *a few miles*
i ni ei golli fe — *for us to lose him*
tro, m. — *bend, turn*
yn fwy cyflym — *faster*
mwy — *more*
i'r golwg — *into view (sight)*
mwy na thebyg — *more than likely*
tybed — *I wonder*

'Rydw i'n gweld, Seimon. Ac wedi i un gael tamaid o fwyd, fe fydd e'n dod allan ac yn gwylio'r lori, a bydd y llall yn mynd i gael bwyd.'

'Dyna fe, Gwen.'

'Os bydd y lori'n aros wrth y caffe, Seimon, beth fyddwch chi'n ei wneud?'

'Pasio, ac wedyn rhedeg yn ôl mor gyflym ag sy'n bosibl.'

'I weld beth fydd Grab yn ei wneud?'

'Ie. Mae e'n dechrau arafu nawr, Gwen. Rydw i'n rhoi fy nhroed i lawr.'

Fe neidiodd y Triumph 2000 ymlaen yn fwy cyflym a phasio'r lori. Ond wedi i Seimon weld lle diogel ar ochr y ffordd, fe stopiodd e'r car a neidio allan.

'Ydych chi'n dod gyda fi, Gwen? Neu, efallai, byddwch chi'n fwy diogel yn y car.'

'Fe fydda i'n fwy diogel gyda chi, Seimon,' atebodd Gwen, ac fe ddaeth hi allan o'r car.

'Yn ôl â ni nawr.'

Rhedodd y ddau'n ôl at y caffe ac aros yn y cysgod. Roedd y lori wedi aros yn y maes parcio ac roedd un o'r dynion yn dod allan ohoni.

'Dim ond un o'r dynion sy'n dod allan o'r lori,' meddai Gwen. 'Maen nhw'n cadw at y rheol — rheol Wil Mat.'

'Ydyn, a Jos Owen ydy hwnna. Fe sy'n cael bwyd gynta heno.'

'A Grab sy'n aros yn y lori.'

'Ie. A nawr mae rhaid i ni aros nes i'r ddau gael bwyd . . . ond efallai bydd rhywbeth sydyn yn digwydd.'

Ond ddigwyddodd dim byd sydyn nac araf. Fe aeth Jos Owen i mewn i'r caffe, ac ar ôl chwarter awr, wedi iddo fe gael ei damaid, fe ddaeth e allan, ac fe aeth Grab i'r caffe, a Seimon a Gwen yn gwylio o'r cysgod o hyd. Chwarter awr

mor gyflym ag sy'n bosibl—*as fast as possible*
arafu — *to slow down*
wedi i Seimon weld — *after Simon had seen*
diogel — *safe*
mwy diogel — *safer*
rheol (rheolau), f. — *rule*
nes i'r ddau gael bwyd — *until both have food*

wedyn, dyma Grab allan. Fe neidiodd e i mewn i'r lori ac i ffwrdd ag e.

'Dyna fe'n mynd,' meddai Seimon yn siomedig.

'A does dim wedi digwydd,' meddai Gwen, ac roedd hi'n amlwg yn fwy siomedig. Ac roedd hi'n oer hefyd ar ôl sefyll a gwylio yno yn y cysgod am hanner awr a mwy. 'Fe fyddwn ni'n fwy lwcus y tro nesa, efallai.'

'Efallai. Ond dydyn ni ddim wedi cyrraedd Birmingham eto. Dewch, Gwen. Mae rhaid i ni fynd yn ôl at y car a dilyn Grab unwaith eto.'

Yn ôl â nhw a mynd ar ôl Grab. Ond chawson nhw ddim lwc y noson honno—na'r bore hwnnw. Fe aeth y lori ymlaen nes iddi gyrraedd strydoedd cynta Birmingham.

'Fydd dim yn digwydd nawr, Gwen,' meddai Seimon. 'Mae rhaid i ni droi'n ôl.'

'Mae'n dda gen i glywed,' meddai Gwen gan agor ei cheg. Roedd eisiau cysgu arni hi. 'Ac fe fydd yn dda gen i weld y gwely. Ond fi sy'n gyrru adref. Rydych chi wedi bod yn gyrru drwy'r nos.' Yna, meddai hi'n sydyn, 'Pryd bydd Grab yn dod yn ôl o Birmingham? Fydd e'n dod â lori lawn yn ôl gyda fe?'

'Fe fydd e a Jos yn cael awr neu ddwy iddyn nhw eu hunain, ac fe fyddan nhw'n dod yn ôl a'r lori'n llawn yn y dydd. Fe fydd Jos yn gyrru adref, mae'n debyg.'

'Ond mae hi'n bosibl i rywbeth ddigwydd ar eu ffordd adref, Seimon,' meddai Gwen.

'Mae'n bosibl, ond fydd Grab na'i lori ddim yn hir o olwg y polîs ar hyd y ffordd.'

'Da iawn. Ond beth am nos yfory— Neu heno — mae hi wedi dau o'r gloch y bore nawr. Fydd Grab a Jos yn gweithio heno eto?'

'O, na fyddan. Fyddan nhw ddim yn gweithio heno.'

siomedig — *disappointed*
yn fwy lwcus — *luckier*
chawsom nhw ddim lwc — *they had no luck*
nes iddi hi gyrraedd — *until it* (fem.) *reached*
gan agor ei cheg — *yawning*
fe fydd yn dda gen i — *I shall be glad*
i rywbeth ddigwydd — *for something to happen*
llawn — *full*
ar hyd y ffordd — *all along the way*

'Ardderchog. A nawr, Caerolau *first stop*,' meddai Gwen, a llithrodd y car ymlaen ar ei ffordd yn ôl i Gaerolau.

* * * *

Ddwy noson wedyn roedd Seimon a Gwen yn eu car yn aros unwaith eto yn y cysgod y tu allan i iard fawr Wil Matthias. Ac unwaith eto roedd Gwen wedi paratoi'n dda. Roedd côt fawr amdani hi, blanced a basged yn llawn o fwyd yn y sedd gefn.

Am ddeg o'r gloch fe agorodd y gatiau mawr a daeth lori fawr allan. Lori Grab Jones oedd hi wrth y rhif oedd arni hi, ac felly, ar ôl gadael iddi hi fynd am ryw dri munud, fe lithrodd y Triumph 2000 ar ei hôl hi. Yna, fel ar y noson o'r blaen, fe fuodd Seimon yn dilyn y lori ac aros, dilyn ac aros — a chael tamaid o fwyd — nes iddyn nhw ddod at yr un caffe nos. Roedd Grab yn amlwg yn mynd i droi i mewn i'r maes parcio, ac felly fe arhosodd Seimon cyn cyrraedd y caffe a pharcio ar ochr y ffordd.

'Nawrte, Gwen, allan â chi. Beth fydd yn digwydd heno, tybed?'

Rhedodd y ddau ymlaen a gwylio'r lori fawr yn cael ei pharcio. Yna, wedi diffodd y goleuadau, fe ddaeth Jos Owen allan o'r lori a mynd i mewn i'r caffe.

'Maen nhw'n cadw at y rheol heno eto, Gwen, — un yn mynd am fwyd a'r llall yn aros yn y lori.'

'Ydyn.'

'Hei! Edrychwch!' meddai Seimon yn sydyn wedyn. 'Mae Grab ei hun yn dod allan o'r lori fawr. Ble mae e'n mynd tybed?'

Safodd y ddau a gwylio Grab yn ofalus. Roedd digon o olau'n dod o ffenestri'r caffe iddyn nhw weld yn glir bopeth

llithro — *to slide, to skid, to slip*
ar ôl gadael iddi hi — *after leaving it* (fem.)
y noson o'r blaen — *the night before*
nes iddyn nhw ddod — *until they came*
y lori fawr yn cael ei pharcio — *the huge lorry being parked*
diffodd — *to extinguish*
iddyn nhw weld — *for them to see*

oedd yn digwydd. Fe ddaeth Grab allan o'r lori ac edrych o gwmpas am hanner munud neu fwy. Tynnodd sigaret o'i boced a'i thanio hi. Yna, yn araf, dyma fe'n cerdded i ffwrdd o'r lori ac i ffwrdd o'r caffe. Yna'n sydyn, roedd e wedi diflannu i dywyllwch rhyw goed oedd o gwmpas y maes parcio.

'Ble mae e wedi mynd, tybed?' gofynnodd Gwen. 'A beth sy'n digwydd yn nhywyllwch y coed acw?'

'Ydych chi'n mynd ar ei ôl e, Seimon?'

'Na. Mae'n well i ni aros yma. Fe fydd rhywbeth yn digwydd nawr, rydw i'n siŵr.'

Ac *fe* ddigwyddodd rhywbeth. Fe ddaeth dau ddyn o gysgod y coed a mynd yn syth at lori Grab Jones. I mewn â nhw i'r caban, a chyn i Seimon a Gwen symud bys na bawd, roedd y lori ar ei ffordd allan o'r maes parcio.

'Nawr beth rydyn ni'n mynd i'w wneud, Seimon? Mae'r dynion yna wedi ymosod ar Grab, rydw i'n siŵr. Mae'n well i ni fynd i weld,' meddai Gwen yn ofnus.

'Ymosod ar Grab? Na, dydw i ddim yn meddwl. Chlywson ni neb yn gweiddi, Gwen. Dim sŵn o gwbl. Na, mae hyn yn rhan o'r plan, rydw i'n credu. Fe fydd Grab wedi cael ei rwymo, efallai, a hances neu rywbeth yn ei geg, ond fydd neb wedi ymosod arno fe . . . mae'n ddrwg gen i ddweud! Fe fydd Jos Owen yn mynd i chwilio amdano fe cyn bo hir. A pheth arall, mae yna rywun arall yn y caffe neu o gwmpas y lle yma fydd yn gofalu am Grab Jones. Rydyn ni, Gwen, yn mynd ar ôl y lori yna. Dewch!'

Fe redodd Seimon a Gwen yn gyflym yn ôl at y car.

'Pwy . . . Pwy sy yn y caffe, Seimon . . . i ofalu am Grab?' gofynnodd Gwen wedi iddyn nhw gyrraedd y car.

a'i thanio hi — *and lit it* (fem.)
y tywyllwch oedd o gwmpas — *the darkness that surrounded . . .*
mae'n well i ni aros — *we had better wait*
a chyn i Seimon a Gwen symud — *before Seimon and Gwen moved*
bys na bawd — *finger or thumb*
ymosod ar — *to attack*
chlywson ni neb — *we heard no one*
fe fydd Grab wedi cael ei rwymo — *Grab will have been tied up*
rhywun arall . . . fydd yn gofalu am Grab — *someone else who will be looking after Grab*

'Wil Matthias, neu Jim Daniel, neu un o fechgyn Jim,' atebodd Seimon gan gychwyn yr injan. Llithrodd y car yn gyflym ar hyd y ffordd fawr. 'Mae rhaid i ni gadw'n agos at y lori yna. Dau o'r gang ydy'r dynion yna, rydw i'n siŵr.'

'Ond peidiwch â mynd yn rhy agos, Seimon, neu . . .'

* * * *

Roedd Jos Owen wedi mynd i mewn i'r caffe gan adael Grab i ofalu am y lori. Roedd nifer o ddynion yn y caffe, ond edrychodd Jos ar neb. Gofynnodd am gwpanaid o de a sandwich, ac aeth i eistedd wrth fwrdd ar ei ben ei hun. Eisteddodd yn dawel gan yfed yn araf o'i gwpan te. Roedd rhywbeth yn amlwg ar ei feddwl e.

Wrth y bwrdd nesa roedd dyn tal, hardd yn eistedd. Roedd e'n dal papur newydd o flaen ei wyneb. Nid gyrrwr lori mo'r dyn yma. Roedd e'n gwisgo dillad rhy dda i fod yn yrrwr lori. Fe edrychodd e'n slei ar Jos.

'Beth sy'n bod ar Jos heno?' meddyliodd y dyn. 'Mae e'n edrych yn drist iawn. Beth ydy'r trwbwl, tybed? Grab? Ydy e'n chwarae un o'i driciau heno, tybed? Mae'n well i fi ddangos fy hun i Jos, rydw i'n credu.' Fe droiodd e'n sydyn at Jos.

'Sut mae Jos Owen heno?' meddai'r dyn.

Neidiodd Jos yn ei gadair. Roedd e'n nabod y llais yn dda — yn rhy dda, efallai. Fe aeth ei wyneb e mor wyn â'r eira.

'Mr. . . . Mr. Matthias! Be . . . Beth rydych chi'n ei wneud yma?'

'O, edrych o gwmpas, Jos . . . edrych o gwmpas. Ond dwedwch, Jos, pam mae eich wyneb chi mor wyn? Ydych chi wedi gweld ysbryd neu rywbeth?' gofynnodd Wil Matthias.

rhy agos — *too close*
ar ei ben ei hun — *on his own*
amlwg — *obvious*
rhy dda — *too good*
mae'n well i fi — *I had better*
fy hun — *myself*
mor wyn â'r eira — *as white as snow*

'Fy wyneb i'n wyn, Mr. Matthias? Mae . . . Mae hi'n oer yn y lori heno. Mae . . . fy wyneb i'n mynd yn wyn bob amser pan rydw i'n oer, syr.'

'Nid yn goch, Jos? A Grab? Ydy e yn y lori? Rydych chi'n cadw at y rheol.'

'Ydyn, ydyn, rydyn ni'n cadw at y rheol. Mae Grab yn y lori.'

'Mae'n dda gen i glywed. Wel, yfwch eich te, Jos. Fe fydd yn dda gan Grab gael cwpanaid . . . os ydy hi mor oer yn y lori,' meddai Wil Matthias, gan edrych yn syth i lygaid Jos.

Fe yfodd Jos ei de'n gyflym ac allan ag e. Wedi iddo fe fynd allan, fe redodd Wil Matthias at y drws ac edrych allan. Fe welodd e Jos yn edrych yn wyllt o'i gwmpas; ei weld e wedyn yn troi ac yn rhedeg yn ôl i'r caffe. Pan ddaeth e i mewn, roedd Wil Mat yn eistedd yn dawel yn ei gadair unwaith eto.

Fe redodd Jos yn syth ato fe. Roedd dychryn yn ei lygaid.

'Beth sy'n bod, Jos?' gofynnodd Wil gan neidio ar ei draed. 'Rydych chi *wedi* gweld ysbryd y tro yma . Rydych chi'n edrych fel ysbryd eich hun.'

'Y lori . . . Mae'r lori wedi mynd . . . wedi diflannu,' meddai Jos a'i lais yn crynu.

'Y lori wedi diflannu? ' meddai Wil Matthias yn ddigon uchel i bawb oedd yn y caffe ei glywed e. Roedd e'n gwybod hynny'n barod ar ôl gweld Jos yn edrych mor wyllt o gwmpas y maes parcio. Ond doedd e ddim am ddweud hynny wrth Jos nawr.

Fe neidiodd pawb oedd yn y caffe ar eu traed. Fe aeth rhai at y drws ac edrych allan, ac fe gasglodd y lleill o gwmpas Jos a Mr. Matthias.

'Beth am Grab? Ble mae e? ' gofynnodd Wil wedyn i Jos.

'Mae e . . . Mae e . . . '

'Ydy e wedi diflannu hefyd? '

wedi iddo fe fynd allan — *after he had gone out*
y tro yma — *this time*
fel ysbryd eich hun — *like a ghost yourself*
i bawb oedd yn y caffe ei glywed e — *for everyone that was in the café to hear him*

'Mae . . . Mae'r dynion sy wedi dwyn y lori wedi ymosod arno fe neu rywbeth, Mr. Matthias. Mae'n well i ni fynd i chwilio amdano fe, syr.'

'O'r gorau,' meddai Wil. 'Dewch i chwilio . . .'

Fe aeth rhai o'r dynion allan o'r caffe gyda nhw. Roedd hi'n bwrw glaw ychydig nawr. Safodd Jos wrth y drws am foment ac edrych o gwmpas. Yna fe gerddodd e'n syth i'r tywyllwch i'r lle roedd Grab Jones ei hun wedi diflannu. Chwarter munud wedyn, dyma Jos yn gweiddi, —

'Dyma fe! Dyma Grab! Mae e wedi cael ei daro i lawr neu rywbeth.'

Rhedodd y dynion oedd wedi dod allan o'r caffe at Jos yn y cysgod. Ond symudodd Wil ddim — dim ond sefyll ac edrych. Mewn byr amser, fe ddaeth y dynion i'r golwg a nawr roedden nhw'n hanner cario dyn.

'Cariwch e i mewn i'r caffe,' meddai Wil a dilyn y dynion. 'Rhowch e i eistedd yn y gadair acw.'

Edrychodd Grab o'i gwmpas.

'Mr. Matthias!' meddai fe'n syn pan welodd e Wil yn sefyll yno gyda'r dynion, ac fe aeth ei wyneb e mor wyn ag wyneb Jos.

'Beth ddigwyddodd?' gofynnodd Wil Matthias, ac roedd tipyn o dymer yn ei lais.

'Roeddwn . . . Roeddwn i'n eistedd yn y lori, ond dyma fi'n clywed llais . . . llais merch yn gweiddi o'r coed acw sy wrth y maes parcio. Roedd rhywun yn ymosod arni hi . . . roeddwn i'n siŵr. Roedd rhaid i fi fynd i'w helpu hi, wrth gwrs.'

'Oedd, siŵr,' meddai Wil Matthias yn sarcastig.

'Dydych chi ddim yn fy nghredu i, Mr. Matthias.'

'Welais i monoch chi'n helpu neb, ond chi eich hunan, Grab. Ond ewch ymlaen â'r stori.'

y dynion sy wedi dwyn y lori — *the men who have stolen the lorry*
Mae'n well i ni — *we had better*
Mae e wedi cael ei daro i lawr — *has has been struck down*
y dynion oedd wedi dod allan — *the men who had come out*
o'r coed acw sy wrth y maes parcio — *from those trees that are by the parking ground*
i'w helpu hi — *to help her*

'Fe es i i helpu'r ferch yma, ond yn sydyn dyma fi'n cael fy nharo ar fy ngên. Fe es i i lawr fel sach o datws, a dydw i'n gwybod dim beth ddigwyddodd wedyn nes i'r dynion yma, a Jos, ddod a 'ngharïo i'n ôl yma.'

'Druan ohonoch chi, Grab,' meddai Wil Matthias yn sarcastig eto. 'Ond arhoswch chi yma. Mae rhaid i Jos a fi fynd ar ôl y lladron sy wedi dwyn y lori.'

'Lladron? Lladron wedi dwyn y lori? Na! ' meddai Grab a golwg syn ar ei wyneb.

Chwerthodd Wil Matthias.

'Rydych chi, Grab Jones, yn fwy o actor na Richard Burton ei hun. Gyda llaw, Grab, faint o arian gawsoch chi gan y dynion yna — y dynion ymosododd arnoch chi pan oeddech chi'n . . . ym . . . mynd i helpu'r ferch druan yna yn y coed? '

'Faint o arian? Ches i ddim arian. Fe es i i helpu . . . '

'Do, siŵr,' meddai Wil yn fyr ei dymer. 'Nawrte, Jos. Mae rhaid i ni fynd ar ôl y lladron yna. Mae fy nghar i yn y cysgod y tu allan yn rhywle, ac rydych chi'n gwybod ble mae'r lladron yna wedi mynd â'r lori.'

'Nac ydw. Dydw i ddim yn gwybod dim amdanyn nhw, syr.'

'Dewch! ' meddai Wil gan godi ei lais mewn tymer. Roedd yn amhosibl i Jos ddweud 'Na' wedyn. 'Ac arhoswch chi yma, Grab Jones. Fe fydd y polîs yn dod i'ch nôl chi cyn bo hir.'

Ac allan ag e, a Jos yn ei ddilyn e fel ci bach â'i gynffon rhwng ei goesau.

'Mae fy nghar i rownd y gornel yma,' meddai Wil wedi iddyn nhw ddod allan i'r maes parcio. 'Dyma fe. I mewn â chi, Jos.'

'Ond dydw i ddim yn gwybod dim . . . ' dechreuodd Jos.

dyma fi'n cael fy nharo — *I was struck*
gên (genau), f. — *chin*
nes i'r dynion yma . . . ddod — *until these men . . . came*
druan ohonoch chi — *you poor thing*
mwy o actor — *more of an actor*
y dynion ymosododd arnoch chi — *the men who attacked you*
cynffon (cynffonnau), f. — *tail*
wedi iddyn nhw ddod allan — *after they had come out*

'I mewn â chi,' meddai Wil.

Fe aeth Jos i mewn ac fe symudodd y car ymlaen yn dawel . . . ac yn araf.

Doedd Jos ddim yn deall pam roedd Wil Matthias yn gyrru mor araf. Roedd arno fe eisiau dal y lladron, on'd oedd?

'Dydych chi ddim yn mynd yn gyflym iawn, syr,' meddai Jos. 'Fe fydd y lladron yma'n dianc.'

'Na. Fyddan nhw ddim yn dianc, Jos. Mae rhywun arall ar eu trac nhw. Mewn munud neu ddau, fe fyddwn ni'n troi'n ôl i'r caffe. Fydd dim sôn am Grab, wrth gwrs, na'r arian gafodd e gan y gang yna. Ond does dim ots am Grab na'r arian. Rydyn ni ar ôl y gang ei hun — y gang sy y tu ôl i'r busnes yma i gyd. Dynion bach ydych chi, Jos, a Grab yn rhoi gwybodaeth ac ati i'r gang . . .'

'Roiais i ddim gwybodaeth iddyn nhw, syr,' meddai Jos. 'Grab oedd . . .' ac fe stopiodd e'n sydyn.

'Wel, Jos, diolch am y tamaid bach yna o wybodaeth,' meddai Wil. 'Mae'n well i ni droi'n ôl nawr. Fe fydd Grab wedi cael amser i ffonio bos y gang lladron erbyn i ni gyrraedd yn ôl.'

'Ffonio'r bos? Tric oedd dod allan a mynd ar ôl y lori?' meddai Jos.

'Wrth gwrs. A dydy'r caffe ddim ar STD. Fe fydd hynny'n help i fi nawr, Jos.'

Pan ddaeth Wil Matthias a Jos yn ôl i'r caffe, doedd dim sôn am Grab — fel roedd Wil wedi dweud. Fe aeth e'n syth at y ffôn.

'*Exchange*,' meddai Wil, 'Ledworth 273 yma. Fyddwch chi mor garedig ag ateb cwestiwn i fi, os gwelwch yn dda? Fe fuodd dyn yn ffonio o'r rhif yma ryw bum munud yn ôl. Beth oedd y rhif roedd y dyn yma'n siarad ag e? . . . Beth? . . . Pwy ydw i? Y polîs, siŵr iawn . . . rydyn ni ar ôl gang o

on'd oedd? — *didn't he!* (in this particular context)
na'r arian gafodd e — *nor the money he got*
y gang sy y tu ôl — *the gang that is behind*
erbyn i ni gyrraedd yn ôl — *by the time we return (reach back)*
ryw bum munud — *about (some) five minutes*

ladron . . . Dwedwch y rhif eto . . . Birmingham 227642 . . . Diolch yn fawr . . . A nawr, rhowch fi drwodd i'r polîs yng Nghaerolau . . . ar unwaith, os gwelwch yn dda.'

Mewn byr amser, roedd Wil yn siarad ag Inspector Jim Daniel.

'Jim! Wil Matthias yma. Rydw i'n ffonio o'r caffe nos sy y tu allan i Ledworth ar y ffordd fawr i Birmingham. Rydw i wedi cael rhif ffôn bos y gang sy'n dwyn y lorïau. Fe fuodd Grab Jones yn ffonio'r rhif yma ychydig o funudau yn ôl. Dyma fe i chi . . . Birmingham 227642. Does dim rhaid i fi ddweud wrthoch chi beth i'w wneud nawr . . . Ble mae Seimon? O, mae e'n dilyn y lori sy wedi cael ei dwyn heno . . . fe a Gwen. Wel, dyna oedd y plan . . . Rhif y lori gafodd ei dwyn? CCH 337 G. A gyda llaw, mae Grab Jones wedi diflannu . . . O, na, nid gyda'r lori . . . Hwyl nawr. Fe fydda i'n clywed oddi wrthoch chi yn y bore, mae'n siŵr.'

Ac fe ddaeth Wil Matthias at y cownter a gofyn am ddau gwpanaid o goffi—un iddo fe ac un i Jos. Roedd e'n gwenu'n dawel wrtho'i hun . . .

Ar y ffordd rhwng Ledworth a Birmingham, roedd Seimon Prys wedi dod yn ddigon agos at y lori i weld ei rhif — CCH 337 G. Roedd hi'n cael ei gyrru ar sbîd ofnadwy, ac roedd rhaid i Seimon roi ei droed i lawr yn drwm i'w chadw hi yn y golwg. Roedd hi'n bwrw glaw nawr hefyd. Roedd y glaw efallai'n help achos roedd hi'n rhy beryglus i neb feddwl am basio'r lori ar sbîd mor gyflym. Ond doedd ar yrrwr y lori ddim ofn pasio neb. Roedd pawb yn tynnu i'r ochr pan oedd e'n fflachio'i oleuadau y tu ôl iddyn nhw!

Wrth ochr Seimon, roedd Gwen yn ceisio bwyta sandwich — tipyn o job a'r car yn mynd mor gyflym. Ond roedd hi'n mwynhau'r ras yma drwy'r nos.

mewn byr amser — *in a short time*
y gang sy'n dwyn — *the gang that steals*
y lori sy wedi cael ei dwyn — *the lorry that has been stolen*
y lori gafodd ei dwyn — *the lorry that was stolen*
roedd hi'n cael ei gyrru — *it* (fem.) *was being driven*
yn y golwg — *in sight*
rhy beryglus i neb feddwl — *too dangerous for anyone to think*

Ar ôl rhai milltiroedd, fe aeth y lori o'r golwg rownd tro yn y ffordd. Fe aeth Seimon yn gyflym ar ei hôl, ond pan ddaeth e rownd y tro roedd y lori wedi llithro ar draws y ffordd. Roedd rhaid i Seimon wasgu'n drwm ar y brêcs!

'Waw! Mae'r beltiau ceir yma'n handi weithiau,' meddai Gwen a'i thrwyn yn rhwbio yn erbyn y ffenest flaen. 'Rydyn ni'n fwy lwcus na'r lori yna. Dydyn ni ddim wedi llithro.'

Ond doedd Seimon ddim yn gwrando arni hi. Roedd e'n gwylio'r lori'n ofalus.

'Hei, Gwen! Mae'r dynion yn dod allan o'r lori nawr. Neidiwch i'r sedd gefn, a thynnwch y flanced drosoch chi. Tric ydy hyn, efallai. Ond ceisiwch gadw un llygad ar beth fydd yn digwydd. Mae rhaid i fi fynd allan at y lori. Mae'n amhosibl i fi basio nawr.'

Fe aeth Seimon allan o'r car a mynd at y dynion.

'Mae'r lori wedi llithro yn y glaw yma. Oes eisiau help arnoch chi?' meddai fe.

'Na, does arnon ni ddim eisiau eich help chi,' meddai un o'r dynion. 'Pwy ydych chi, dwedwch? Rydych chi wedi bod ar ein cynffon ni am filltiroedd.'

'Ar eich cynffon chi? Mae'r ateb yn ddigon syml. Chi oedd yn mynd yn rhy gyflym. Roedd hi'n amhosibl i neb eich pasio chi. Fe geisiais i lawer tro, ond roeddech chi'n tynnu allan i ganol y ffordd bob tro. Ydy hi'n bosibl i fi eich pasio chi nawr? Mae ffordd bell gen i i fynd. Fe allwch chi facio'r lori'n ôl i'r ffordd heb lawer o drwbwl,' meddai Seimon. 'Dydych chi ddim wedi taro yn yr ochr na dim.'

'Na, dydyn ni ddim yn bacio'r lori,' meddai'r dyn gan ddod yn nes at Seimon, a chyn i Seimon gael siawn i symud, roedd y dyn wedi ei daro fe dan ei ên. Fe syrthiodd Seimon yn swp i'r llawr.

'Da iawn, Pronto,' meddai'r dyn arall. 'Ond beth nawr? Ydych chi am adael y dyn yma lle mae e?'

o'r golwg — *out of sight*
gwasgu — *to press, to squeeze*
beltiau ceir — *car belts*
beth fydd yn digwydd — *what will happen*
yn ddigon syml — *simple enough*
fe allwch chi — *you can*
heb — *without*
nes — *nearer*
swp, m. — *heap*

'Dydw i ddim yn siŵr,' atebodd Pronto. 'Does dim ots gen i am y ffŵl yma, ond mae'n biti i ni adael y car yna ar ôl.'

'Ond beth am y dyn yma? Fe fydd e'n dod ato'i hun cyn bo hir.' Roedd hwn yn fwy ofnus na Pronto, yn amlwg. 'Fe fydd y polîs ar ein hôl ni'n fuan wedyn.'

'Rwyt ti'n siarad sens, Sam,' meddai Pronto gan rwbio'i ên. 'Beth ydy'r peth gorau . . .'

'Mae rhaid i ni frysio, Pronto.'

'O'r gorau, Sam. Rhaff amdano fe . . . Nage, careiau ei esgidiau fe, a'i rwymo fe a'i lusgo o'r golwg ar ochr y ffordd. Fe fydd e'n ddigon diogel yno nes iddi hi oleuo. Fe fyddwn ni a'r car yn ddigon pell i ffwrdd erbyn hynny . . . Rydw i'n gyrru'r lori a thi'r car,' meddai Pronto. 'Ond rhwymo'r boi yma yn ei gareiau ei hun yn gynta . . .'

Roedd Seimon wedi gadael goleuadau mawr y Triumph ymlaen, ac roedd Gwen wedi gweld y cwbl. Fe welodd hi'r dyn yn taro'i gŵr a gweld Seimon yn syrthio i'r llawr. Ond beth roedd y dynion yn ei wneud nawr? Tynnu ei esgidiau? Fe welodd hi ei gŵr wedyn yn cael ei rwymo yn ei gareiau ei hunan a'i lusgo wedyn o'r golwg ar ochr y ffordd. Dyna'r munudau mwya ofnadwy gafodd Gwen erioed. Yna, fe welodd hi un o'r dynion yn cerdded at y car. Gwasgodd Gwen ei llaw yn dynn am y 'tegan' oedd ganddi hi yn ei phoced. Roedd hi wedi gofalu dod â'r 'tegan' gyda hi ar ôl iddi glywed Seimon yn sôn am y dynion yn cario gynnau.

Roedd y dyn yn dod yn nes, nes, a doedd Gwen, druan, ddim yn gwybod beth i'w wneud. Roedd ei gŵr yn gorwedd rywle ar ochr y ffordd wedi cael ei rwymo â'i gareiau ei hun,

ar ôl — *behind*
dod ato'i hun — *to come to (to regain consciousness)*
mwy ofnus na — *more timid than*
brysio — *to hurry*
rhaff (rhaffau), f. — *rope*
carrai (careiau) — *bootlace*
a'i rwymo fe — *and tie him*
nes iddi hi oleuo — *until it gets light*
erbyn hynny — *by that time*
y munudau mwya ofnadwy — *the most terrible minutes*
gafodd Gwen erioed — *that Gwen ever had*
y 'tegan' oedd ganddi hi — *the 'toy' she had*
ar ôl iddi hi glywed — *after she had heard*
wedi cael ei rwymo â'i gareiau ei hun—*bound with his own shoe-laces*

ond dyma'r dyn nawr wrth y car. Llithrodd Gwen o dan y flanced. Daeth y dyn i mewn i'r car, troi'r allwedd ac fe lithrodd y car ymlaen ar ôl y lori . . .

Yna, roedd Gwen yn gwybod beth i'w wneud. Doedd hi ddim yn mynd yn rhy bell o'r lle roedd Seimon yn gorwedd. Fe ddaeth hi allan o dan y flanced, a phlannu ei rifolfer — ei 'thegan' — yn dynn yng nghefn y gyrrwr. Llithrodd y car o un ochr i'r ffordd i'r llall am foment neu ddwy — mor sydyn oedd y sioc gafodd y gyrrwr.

'Stopiwch y car yma, ac yna codwch eich dwylo. Mae'r gwn yma yn eich cefn, a does arna i ddim ofn saethu. Fy ngŵr sy wedi cael ei rwymo a'i adael ar ochr y ffordd, a mae ei fywyd e'n fwy pwysig i fi na'ch bywyd chi. Felly, stopiwch y car . . . ac ar unwaith!'

'Dynes, myn uffern!' meddyliodd y dyn, ond roedd rhywbeth yn ei llais hi oedd yn ddigon i yrru'r dŵr oer i redeg i lawr ei gefn. A doedd e ddim yn un o'r rhai mwya dewr.

Fe stopiodd e'r car.

'Nawr,' meddai Gwen, 'dyma siawns i chi ddianc. Mae polîs y wlad ar eich ôl chi a'ch gang. Allan â chi o'r car yma, a cherddwch ar hyd y ffordd yng ngolau'r car. Os byddwch chi'n ceisio symud o'r golau, fe fydda i'n saethu, a chredwch chi fi, rydw i'n gallu saethu'n syth!'

Agorodd y dyn ddrws y car a dechrau codi, ond roedd y gwn yn rhy dynn yn ei gefn iddo fe feddwl am droi ar y ddynes yma. Cododd a llithrodd allan o'r car, a neidio i'r tywyllwch ar ochr y ffordd. Neidiodd Gwen i sedd y gyrrwr. Ei meddwl cynta oedd troi'r car a mynd yn ôl at Seimon. Ond roedd e'n ddyn cryf, ac yn siŵr o ddod ato'i hun cyn bo hir. Felly, ryw ffordd neu ei gilydd, roedd rhaid iddi hi stopio'r lori a dal y dyn ofnadwy yna oedd wedi taro Seimon i'r llawr. Doedd hi ddim am adael iddo *fe* ddianc. Ymlaen â

plannu — *to plant*
tynn — *tight*
y sioc gafodd y gyrrwr—*the shock the driver experienced (had)*
yn fwy pwysig — *more important*
myn uffern! — *by the hell!*
o'r rhai mwya dewr — *of the bravest (ones)*
iddo fe feddwl — *for him to think*

hi, a dyna'r mwya cyflym iddi hi yrru car erioed. A nawr, roedd plan ganddi hi. Roedd gyrrwr y lori'n siŵr o aros os nad oedd e'n gweld y car y tu ôl iddo fe. Roedd e wedi stopio'n barod, efallai. Arafodd Gwen y car, a chyn iddi hi fynd mwy na rhyw filltir neu ddwy fe welodd hi'r lori. Roedd hi wedi cael ei pharcio'n dynn wrth ochr y ffordd, ac roedd y gyrrwr wedi dod allan o'r caban. Stopiodd Gwen yn ddigon pell oddi wrth y lori, ond fe ofalodd hi gadw goleuadau'r car arni hi a'r gyrrwr.

'Beth uffern sy'n bod arnat ti, Sam?' gwaeddodd y gyrrwr, a dechrau cerdded at y car. 'Ble rwyt ti wedi bod? Oeddet ti'n meddwl dwyn y car dy hun neu rywbeth?'

Pan oedd y dyn ryw ddeg llathen o'r car, fe neidiodd Gwen allan.

'Eich dwylo i fyny, ac ar unwaith,' meddai hi.

Safodd y dyn ac edrych. Doedd e ddim yn gallu credu ei lygaid a'i glustiau ei hun. Dynes! Ac roedd rifolfer ganddi hi yn ei llaw. Fe gododd e ei ddwylo'n araf.

'Ble . . . Ble mae Sam?' meddai fe gan symud yn dawel i'r ochr allan o olau'r car.

'Sefwch lle rydych chi!' meddai Gwen. 'Un cam eto ac fe fydd bwled drwoch chi.'

'Ble mae Sam?' gofynnodd y dyn eto.

'Fe roiais i siawns i Sam ddianc, ond dydych chi ddim yn dianc. Fy ngŵr i gafodd ei daro i lawr gennych chi, ac mae rhaid i chi dalu.'

'Eich gŵr chi? Pwy uffern ydy e?'

'Seimon Prys, y ditectif, sy ar eich ôl chi a'ch gang.'

'Chlywais i erioed amdano fe,' meddai'r dyn a dechrau cerdded yn araf at Gwen.

a dyna'r mwya cyflym iddi hi yrru car erioed — *and that was the fastest she had ever driven a car (for her ever to drive a car)*
mwy na rhyw filltir neu ddwy — *more than a mile or two*
os nad oedd e'n gweld — *if he didn't see*
roedd hi wedi cael ei pharcio — *it* (fem.) *had been parked*
beth uffern — *what the hell*
dy hun — *yourself*
ryw ddeg llathen — *about ten yards*
Fy ngŵr i gafodd ei daro i lawr gennych chi — *It was my husband who was struck down by you*
y ditectif sy ar eich hôl chi — *the detective who is after you*

'Sefwch lle rydych chi, neu . . .'

'Neu beth?' meddai'r dyn gan chwerthin. 'Does arna i ddim ofn eich . . . tegan . . . bach.'

'Rydw i wedi dweud . . . Fe fydda i'n saethu.'

'Saethu?' chwerthodd y dyn, ac fe ddaeth gam yn nes. Symudodd Gwen yn ôl ychydig. Roedd arni hi ofn nawr. Roedd ei choesau hi fel dŵr dani hi, ond doedd hi ddim am ddangos ei hofn i'r dyn ofnadwy yma.

'Am y tro ola,' meddai hi, 'un cam eto, ac fe fydd bwled yn eich bola mawr.'

'Bwled yn fy mola!' Chwerthodd y dyn dros y lle a dod un cam yn nes eto. Saethodd Gwen. Roedd y sŵn yn ddigon i stopio'r dyn. Oedd e wedi cael ei saethu? Doedd e ddim yn siŵr. Doedd e ddim wedi teimlo dim byd, ond roedd e wedi cael ei ddychryn. Cyn iddo fe ddod dros ei ddychryn, fe saethodd Gwen unwaith eto.

'Ydych chi'n fy nghredu i nawr? Does arna i ddim ofn saethu rhyw gi fel chi. Fe fydda i'n saethu i daro tro nesa,' meddai Gwen.

Ond doedd dim 'tro nesa.' Fe ddaeth car ar sbîd mawr i lawr y ffordd. Dyna sgrechian brêcs, ac fe stopiodd y car o fewn llathen i gar Gwen. Neidiodd dau ddyn allan a rhedeg yn syth at y lleidr a'i ddal. Roedd arno fe ofn symud a Gwen yn dal ei rifolfer arno fe. Roedd yn well ganddo fe gael ei ddal gan blismyn na chael bwled yn ei fola gan y ddynes wyllt yma. Roedd e'n ddigon parod erbyn hyn i'w chredu hi.

Fe ddaeth trydydd dyn allan o'r car. Doedd e ddim yn gallu cerdded yn dda iawn. Dim ond un esgid oedd ganddo fe, a doedd dim carrai yn honno!

'Gwen!'

'Seimon!'

gam yn nes — *a step nearer*
am y tro ola — *for the last time*
bola, m. — *belly*
Oedd e wedi cael ei saethu?—*Had he been shot?*
roedd e wedi cael ei ddychryn — *he had been frightened*
rhyw gi — *a (some) dog*
Roedd yn well ganddo fe gael ei ddal — *He preferred being caught*
erbyn hyn — *by this time*

'O, Gwen! Rydych chi'n saff!'

'Ydw . . . Ydw . . . Seimon. Ond rydw i'n teimlo mor wan . . . mor wan â chath fach. Ydw, mor wan . . .'

Fe aeth popeth yn dywyll o'i chwmpas hi, ac fe syrthiodd hi'n swp i freichiau ei gŵr . . .

Pan ddaeth Gwen ati ei hun, roedd hi'n eistedd yn y Triumph a Seimon yn rhwbio'i dwylo hi.

'Be . . . Beth ddigwyddodd?' meddai hi'n wan.

'Fe gawsoch chi amser drwg iawn gyda'r lleidr yna, Gwen, ond mae popeth yn iawn nawr.'

'Saethais i mo'r dyn, Seimon?'

'Ei saethu fe? Naddo, Gwen. Pam rydych chi'n gofyn?'

'Fe saethais i ddwy fwled . . .'

'Gwen! Naddo!'

'Do, ac roedd e'n mynd i gael y drydedd fwled reit yn ei fola mawr. Rydw i'n cofio nawr. Fe ddaeth car arall a stopio, ac fe ddaeth dau ddyn allan ohono fe.'

'Dau blismon, Gwen. Ac mae'r lleidr yn ddiogel yn eu dwylo nhw nawr.'

'Ac roeddech chi gyda'r ddau blismon? Sut cawson nhw chi pan oeddech chi o'r golwg ar ochr y ffordd?'

'Un esgid, Gwen. Hon sy ar y nhroed nawr. Roedd y lladron wedi gadael un o f'esgidiau ar ganol y ffordd. Mae plismyn da yn gweld popeth. Fe stopion nhw'r car. Erbyn hyn roeddwn i wedi dod ata i fy hun, ac mae llais da gen i. Oes eisiau dweud rhagor? A nawr, rydyn ni'n mynd adref. Fe fydd y gang i gyd yn nwylo'r polîs erbyn y bore.'

'Ond sut, Seimon?'

'Roedd Wil Matthias yn y caffe nos, ac fe gafodd e rif ffôn bos y gang. Mae rhywun wedi bod yn curo wrth ei ddrws e erbyn hyn, rydw i'n siŵr.'

mor wan â chath fach — *as weak as a kitten*
Pan ddaeth Gwen ati ei hun — *When Gwen came to*
Sut cawson nhw chi — *How did they find you*
Hon sy ar fy nhroed — *This one that is on my foot*
roeddwn i wedi dod ata fy hun — *I had come to myself*
erbyn y bore — *by the morning*

‘Ond sut rydych chi’n gwybod hyn i gyd, Seimon?’

‘Y plismyn gododd fi yn eu car ddwedodd wrtho i. Roedd pob plismon o Gaerolau i Birmingham yn chwilio am y lori . . . ac amdanom ni, Gwen. Fe wnaeth Wil Matthias waith da heno.’

‘A fydd dim rhaid i ni ddilyn Grab Jones eto drwy’r nos?’

‘Na fydd, ond fe fydd rhaid i fi yrru’r car adref yn nhraed fy ’sanau!’

‘Na, fi sy’n gyrru.’

‘O, na. Rydych chi mor wan â chath, Gwen.’

‘Ddim nawr, ’machgen i. Fi ydy’r *one gun wonder-girl* o Gaerolau . . .’ Roedd Gwen yn dawel am funud wedyn.

‘Beth sy ar eich meddwl chi, Gwen?’

‘Roeddwn i’n meddwl am y drydedd fwled yna. Wrth lwc — lwc i’r lleidr yna — mae hi yn y rifolfer, ac nid yn ei fola fe! A nawr, symudwch! Fi sy’n gyrru’r car yma. Eisteddwch chi’n dawel a meddwl sut i guro Wil Matthias y tro nesa byddwch chi’n chwarae golff gyda’ch gilydd . . .’

hyn i gyd — *all this*

Y plismyn gododd fi yn eu car — *The policemen who picked me up in their car*

Y SADWRN CYN Y NADOLIG

'YDYCH chi'n brysur iawn y bore yma, Seimon?'

'Prysur? Welsoch chi erioed mono i heb waith ar fy nwylo.'

Roedd Gwen Prys wedi clirio'r bwrdd brecwast, a nawr, wedi iddi hi olchi'r llestri ac ati, dyma hi'n ôl o'r gegin. Roedd Seimon, ei gŵr, yn eistedd mewn cadair fawr wrth y tân, y papur newydd o'i flaen a phensil yn ei law. Fe edrychodd Gwen dros ei ysgwydd.

'Hy! Rydw i'n gweld. Mae gwaith mawr ar eich dwylo chi y bore yma. Pos croeseiriau!' meddai Gwen.

'Does dim sy'n well i helpu dyn i feddwl na gwneud pos croeseiriau . . . os ydy'r pos yn un da. Mae gwneud pos croeseiriau yn fy helpu i i ddeall sut mae meddyliau pobl eraill yn gweithio hefyd,' atebodd Seimon.

'Ac mae'r pos yma'n un da?'

'Mae e'n un o'r rhai gorau welais i yn y papur yma.'

'Mae'n well i chi roi'r papur yna i lawr, te, neu fe fyddwch chi'n gwneud drwg i chi'ch hun,' meddai Gwen gan chwerthin. 'Ac mae gwaith gen i i chi y bore yma, Seimon.'

'O? Gwaith i fi? Rydych chi wedi golchi'r llestri ac ati, a does dim arall gennych chi i'w wneud, dim ond paratoi tipyn o ginio, ac fel rydych chi'n gwybod, dydw i ddim yn gallu gwneud dim yn y gegin, ond berwi wy, efallai.'

Welsoch chi erioed mono i — *you have never seen (never saw) me*
heb — *without*
wedi iddi hi olchi'r llestri — *after she had washed the dishes*
Does dim sy'n well — *There's nothing (which is) better*
pobl eraill — *other people*
un o'r rhai gorau welais i — *one of the best I have seen (I saw)*
Mae'n well i chi — *You had better*
gwneud drwg i chi'ch hun — *to do harm to yourself*

Doedd ar Seimon ddim eisiau dim gwaith y bore yma. Roedd hi'n braf wrth y tân, ac roedd y pos yn dechrau dod. Fe ddechreuodd e lanw rhai o'r sgwariau . . .

'Hei! Rhowch y pensil yna i lawr, Seimon Prys. Fel dwedais i, mae gwaith gen i i chi. Mae hi'n ddydd Sadwrn heddiw, y dydd Sadwrn mwya' pwysig yn y flwyddyn,' meddai Gwen.

'Y dydd Sadwrn mwya pwysig yn y flwyddyn? Does dim un Sadwrn yn fwy pwysig nag unrhyw Sadwrn arall.'

'O, Seimon Prys, mae'n ddrwg gen i drosoch chi. Ydy'n wir! Ydych chi ddim yn gwybod beth sy'n digwydd yr wythnos nesa?' gofynnodd Gwen.

'Dydd Sul, dydd Llun, dydd Mercher, ac ati . . .'

'Ewch ymlaen!'

'O'r gorau! Dydd Mercher, dydd Iau . . .'

'Stopiwch!'

'O? Pam?'

'Ydych chi ddim yn gwybod beth sy dydd Iau nesa?'

'Nac ydw.'

'O, Seimon! Seimon! Wir, mae'n biti gen i drosoch chi. Mae hi'n Ddydd Nadolig dydd Iau nesa,' meddai Gwen gan ysgwyd ei phen.

'Wel, ydy, wrth gwrs. Y dydd mwya pwysig yn y flwyddyn . . . i rai pobl . . . a phlant bach!'

'O? Sarcastig nawr, rydw i'n gweld. Ond gwrandewch! Mae arna i eisiau eich help.'

'Rydw i'n barod ac yn fodlon i'ch helpu chi bob amser. Rydych chi'n gwybod hynny'n dda. Ond rydych chi wedi gwneud eich pwdin 'Dolig a'r deisen, rydw i'n siŵr . . .'

'O, byddwch yn dawel. Rydych chi'n mynd ymlaen fel hyrdi-gyrdi! Gwrandewch beth sy gen i i'w ddweud am

y dydd Sadwrn mwya pwysig — *the most important Saturday*
Does dim Sadwrn, etc., — *no Saturday is more important than any other Saturday*
Mae'n ddrwg gen i drosoch chi — *I'm sorry for (over) you*
Ydych chi ddim yn gwybod — *Don't you know*
ysgwyd — *to shake*
i rai pobl — *for some people*
bodlon — *willing, content*
beth sy gen i i'w ddweud — *what I have to say*

unwaith. Rydw i'n mynd i'r dref i siopa, ac mae arna i eisiau i chi ddod gyda fi.'

'Siopa? Iech! ' Doedd Seimon, yn amlwg, ddim yn hoffi siopa. 'Y job fwya diflas yn y byd ydy siopa,' meddai fe.

'Diflas? Twt! Does dim sy'n well gan ferch na siopa . . . os bydd digon o arian ganddi hi. A chware teg, Seimon, dydw i ddim yn gofyn i chi ddod i siopa gyda fi'n aml.'

'Nac ydych. Mae hynny'n wir, a diolch am hynny. Ond pam mae rhaid i fi ddod gyda chi heddiw? '

'Dydw i ddim wedi prynu f'anrhegion Nadolig eto.'

'Does dim eisiau help arnoch chi i brynu anrhegion, Gwen.'

'Mae arna i eisiau help y bore yma. Fe fydd y strydoedd yn llawn o geir heddiw a'r traffig yn drwm. Dydw i ddim yn hoffi gyrru mewn traffig trwm. Mae arna i ofn.'

'Chi'n ofni gyrru mewn traffig trwm? Rydych chi'n un o'r gyrwyr gorau welais i erioed, ac rydych chi'n gwybod hynny'n dda. Ond rydw i'n ddigon bodlon i ddod gyda chi i yrru'r car. Ond nid *chauffeur* sy arnoch chi ei eisiau. Dwedwch y gwir nawr, Gwen.'

'Nage? '

'Nage! Rhywun i gario'r parseli sy arnoch chi ei eisiau. Rydw i'n eich nabod chi'n rhy dda erbyn hyn.'

'O'r gorau, Seimon. Mae arna i eisiau rhywun i gario'r parseli. Dewch! Dyna fachgen da.'

'O'r gorau, Gwen. Pryd rydyn ni'n mynd i siopa? '

'Pryd? Wel, nawr, wrth gwrs.'

'Iech! Mae hi mor braf wrth y tân yma,' meddai Seimon, ond fe gododd e'n araf o'i gadair. 'Fyddwn ni ddim yn hir, Gwen, na fyddwn? '

y job fwya diflas yn y byd — *the most miserable job in the world*
Does dim sy'n well gan ferch na siopa — *A woman likes nothing better than shopping*
yn wir — *true*
gwir, m. — *truth*
anrheg (anrhegion), fy — *present, gift*
un o'r gyrwyr gorau welais i erioed — *one of the best drivers I have ever seen*
sy arnoch chi ei eisiau — *is what you want*
pryd — *when*
na fyddwn — *will we (not)*

'Dydw i ddim yn gwybod faint o amser byddwn ni, Seimon. Fe fydd rhaid i fi ymladd fy ffordd at y cownteri yn y siopau heddiw, mae hynny'n ddigon siŵr.'

'Cownteri? Siopau? Faint o anrhegion rydych chi'n mynd i'w prynu?'

'Mae llawer iawn o ffrindiau gen i.'

'Hy! Fe fyddwn ni mor dlawd â llygod eglwys erbyn i ni ddod adref.'

'Wel, dewch nawr, neu fe fydd hi'n amser cinio cyn i ni gychwyn . . .'

Chwarter awr wedyn, roedd Gwen a Seimon ar eu ffordd i'r dref yn y Triumph 2000.

'Whiw! Fe ddwedsoch chi'r gwir, Gwen. Mae mwy o draffig heddiw na welais i ar unrhyw ddydd arall — mwy na phan fydd Cymru'n chware Lloegr ar y Parc Cenedlaethol. Ydy'r bobl sy yn y ceir yma i gyd yn mynd i siopa?'

'Ydyn, siŵr o fod. Dyma'r Sadwrn ola cyn y Nadolig.'

'Fe fydd rhaid i chi ymladd yn galed i fynd at y cownteri yn y siopau heddiw, mae arna i ofn, Gwen.'

'Mae arna i ofn rhywbeth mwy na hynny, Seimon.'

'Beth, Gwen?'

'Bydd pob maes parcio yn y dref yn llawn.'

Ac yn wir, roedd pob maes parcio yn y dref yn llawn. Fe aeth Seimon o faes parcio i faes parcio, ond chafodd e ddim lwc.

'Fe fydd rhaid i ni fynd adref a dod 'n ôl i'r dref ar y bws.'

'Ar y bws? O, na!' meddai Gwen yn siomedig. 'Fe fydd

faint o amser — *how long (how much time)*
mae hynny'n ddigon siŵr — *that's certain enough*
faint o anrhegion — *how many presents*
mor dlawd â llygod eglwys — *as poor as church mice*
erbyn i ni — *by the time we*
Na welais i ar unrhyw ddydd arall — *than I have seen (saw) on any other day*
Ydy'r bobl sy yn y ceir yma — *Are the people who are in these cars*
ola — *last*
rhywbeth mwy na hynny — *something more than that*
maes parcio — *parking ground*
siomedig — *disappointed*

llawer o anrhegion gen i. Fe fydd yn amhosibl eu cario nhw i gyd ar y bws. Fe fydd y bysys mor llawn hefyd.'

Yna, fe gafodd Seimon syniad sydyn.

'Rydw i'n gwybod lle i barcio, Gwen.'

'Ble, Seimon?'

'Yn iard Pencadlys newydd yr Heddlu.'

'Iard Pencadlys newydd yr Heddlu! Syniad ardderchog! Mae'r polîs yn ddigon parod i ofyn i chi eu helpu *nhw*. Ac rydych chi wedi eu helpu nhw hefyd. Pwy ddaliodd y lladron oedd yn dwyn loriau Wil Matthias?'

'Chi, Gwen,' chwerthodd Seimon.

'Wel, fe wnes i ychydig bach bach . . . mae'n wir.'

'Fel saethu bwledi i fola mawr Pronto Price . . . Dyna oedd enw'r dyn, yntê?'

'Wnes i mo'i saethu fe yn ei fola, Seimon. Saethais i ddim i'w daro fe . . . mae'n ddrwg gen i ddweud.'

'Whiw, Gwen! Rydych chi'n wraig beryglus iawn. Fe fyddwch chi'n cael eich taflu i'r carchar fel Pronto Price ryw ddiwrnod.'

'O, byddwch yn dawel! Syniad da oedd hwnna gawsoch chi i fynd i iard yr Heddlu,' meddai Gwen i droi'r siarad. 'Mae'r pencadlys newydd yma'n nes at ganol y dref nag unrhyw faes parcio. Fydd dim rhaid i chi gario'r parseli mor bell, Seimon.'

'Diolch, Gwen. Rydych chi bob amser yn meddwl amdana i . . . Ond fe fydd rhaid i fi gael gair â Jim Daniel yn gynta . . . os bydd e yn ei swyddfa heddiw. Fe fydd Jim yn fodlon i ni barcio yno, ond dydw i ddim yn gwybod am y plismyn eraill . . .'

Fe yrrodd Seimon yn araf drwy'r strydoedd prysur yn ôl i adeilad newydd yr Heddlu a throi i mewn i'r iard. Oedd,

mor llawn — *so full*
Pencadlys yr Heddlu — *Police Headquarters*
ardderchog — *excellent*
y lladron oedd yn dwyn — *the thieves who were stealing*
fe wnes i — *I did*
ychydig — a *little, few*
mae'n wir — *it's true*
Fe fyddwch chi'n cael eich taflu — *You will be thrown*
nes at ganol y dref nag — *nearer the centre of the town than*
adeilad (adeiladau), m. — *building*

roedd digon o le iddo fe barcio yno. Roedd plismon yn dod allan o'i gar ar ochr arall yr iard. Fe edrychodd e ar y Triumph. Doedd dim Triumph 2000 coch gan unrhyw un o'r Heddlu. Pwy yn y byd mawr oedd hwn? Yna, fe ddaeth gwên i'w wyneb pan welodd e pwy oedd yn dod allan o'r car. Fe ddaeth e draw at y car ar unwaith.

'Seimon! Sut mae? A chi, Gwen! Sut rydych chi'ch dau? Beth sy wedi dod â chi yma ar fore Sadwrn mor brysur?' gofynnodd y plismon.

'Y bore Sadwrn prysur sy wedi dod â ni yma, Jim,' atebodd Seimon gan ysgwyd llaw â'i hen gyfaill, Jim Daniel.

'Dydw i ddim yn eich deall chi, Seimon,' meddai'r plismon.

'Wel, yn syml, rydyn ni wedi bod rownd a rownd y dref yma'n chwilio am le i barcio, ond mae pob maes parcio . . .'

'Mor llawn â thun sardin!' chwerthodd Inspector Jim Daniel.

'Ac wedyn, fe ges i'r syniad . . .'

'O barcio yma! Syniad ardderchog, Seimon. Mae digon o le i chi yma unrhyw amser.'

'Diolch, Jim. Ond cofiwch, roedden ni'n mynd i ofyn i chi cyn i ni adael y car yma, on'd oedden ni, Gwen?'

'Oedden, siŵr,' meddai hi gan wenu.

'Rydw i'n eich nabod chi'n ddigon da erbyn hyn, Seimon. Ac mae rhaid i ni dalu'n ôl i chi rywbryd am bob help gawson ni gennych chi drwy'r blynyddoedd. Rydyn ni'r Heddlu fel yr eliffant — dydyn ni byth yn anghofio.'

'Diolch eto, Jim. Rydych chi'n brysur iawn y dyddiau yma, siŵr o fod,' meddai Seimon wedyn.

'Mae'r Nadolig yn un o'r amserau mwya prysur yn y

Pwy yn y byd mawr — *Who in the wide (big) world*
chi'ch dau — *you two*
ar fore Sadwrn mor brysur — *on such a busy Saturday morning*
fe ges i — *I had*
unrhyw amser — *any time*
rhywbryd — *sometime*
am bob help gawson ni gennych chi — *for all the help we have had from you*

flwyddyn i ni, Seimon, fel rydych chi'n gwybod. Mae mwy o ddwyn o'r siopau, dwyn ceir ac ati nag ar unrhyw amser arall yn y flwyddyn. Mae pob math o ddrwg yn cael ei wneud amser y Nadolig,' meddai Jim Daniel a rhyw olwg drist ar ei wyneb.

'Wel, Jim, os bydd eisiau help arnoch chi, rydych chi'n gwybod lle i droi,' meddai Gwen gan wenu'n siriol ar y plismon tal. 'Mynd i siopa rydyn ni nawr. Prynu anrhegion ac ati.'

'Wel, cadwch eich llygaid yn agored, ac os daliwch chi leidr neu ddau, fe fydd Heddlu Caerolau'n rhoi medal i chi,' meddai Jim Daniel. 'O, ie, cadwch eich llygaid yn agored am y bobl yma sy'n gwerthu cyffuriau hefyd.'

'Ydych chi'n cael eich poeni gan y bobl yma hefyd, Jim — pobl y cyffuriau?' gofynnodd Seimon.

'Ydyn, yn cael ein poeni'n fawr yn ddiweddar. Dydw i ddim yn gwybod beth sy'n bod ar bobl, a dyna'r gwir i chi.'

'Wel, peidiwch â thorri'ch calon,' meddai Gwen.

'Ie, peidiwch â phoeni, Jim. A da boch chi nawr, a diolch eto am adael i ni barcio'r car yma,' meddai Seimon.

'Does dim rhaid i chi. Da boch chi,' ac fe aeth Inspector Jim Daniel i mewn drwy un o ddrysau mawr yr adeilad hardd newydd.

Wedi iddyn nhw barcio'r car, i ffwrdd â Gwen a Seimon i siopa. Doedd Seimon ddim wedi hoffi'r syniad o fynd i siopa, ond, a dweud y gwir, roedd e'n mwynhau mynd o gownter i gownter yn y siopau-marchnad mawr . . . ar y dechrau. Roedd gweld yr wynebau siriol a gwrando ar y siarad hapus yn rhoi llawer o bleser iddo fe. Ond ar ôl rhyw hanner awr, roedd y job yn mynd yn fwy diflas bob munud,

Mae mwy o ddwyn — *There's more thieving*
nag ar unrhyw amser arall — *than at any other time*
Mae pob math o ddrwg yn cael ei wneud — *Every kind of evil is done*
ar amser Nadolig — *at Christmas time*
siriol — *cheerful*
a rhyw olwg drist — *with a sad look*
os daliwch chi — *if you catch*
y bobl yma sy'n gwerthu cyffuriau — *these people who sell drugs*
Ydych chi'n cael eich poeni — *Are you troubled (pained)*
siopau-marchnad — *supermarkets*
rhyw hanner awr — *about half an hour*

ac roedd nifer y parseli'n mynd yn fwy ac yn fwy fel roedd Gwen yn symud o siop i siop. A hefyd, cyn bo hir iawn, roedd Gwen wedi gwario'r cwbl o'r arian oedd ganddi hi, ac roedd rhaid i Seimon fynd i'w bocedi ei hun! O'r diwedd, meddai fe fel roedden nhw'n dod allan o'r chweched neu'r seithfed siop, —

'Edrychwch, Gwen! Rydych chi wedi prynu digon nawr. Does dim lle gen i i un parsel arall. Rydw i'n edrych ac yn teimlo fel Santa Clôs ei hun.'

'Ond Santa heb ei siwt goch, Seimon. Ond dim ond un siop eto. A dyma hi, y siop ddillad yma — *Boutique Odette.* Arhoswch chi yma wrth y drws. Fydda i ddim yn hir.'

Fe roiodd Gwen wên fach siriol i'w gŵr ac i mewn â hi i fwthig Odette.

Safodd Seimon wrth ddrws y siop. Roedd y stryd yn llawn o bobl a Seimon yn ddigon bodlon am ychydig yn eu gwylio nhw'n mynd a dod — pobl o bob lliw a siâp, hen ac ifanc, rhai yn eu dillad gorau, ac eraill . . . wel, dim ond un enw oedd gan Seimon arnyn nhw — hipis. Roedd pawb oedd yn gwisgo'u gwallt yn hir, neu'n gwisgo trowsys tyn neu jeans, yn hipis i Seimon. Dyna un . . . dau . . . tri . . . pedwar roedd e wedi eu gweld mewn ychydig o funudau. Ac yn y munudau nesa fe welodd e fwy a mwy ohonyn nhw.

'Dyna beth od,' meddyliodd Seimon. 'Does dim llawer o hipis yng Nghaerolau, dim ond yn y coleg, ac maen nhw wedi mynd adref am y Nadolig nawr. Ond mae'r lle'n llawn ohonyn nhw y bore yma. Mae yna ryw brotest neu rywbeth yn y dref heddiw, siŵr o fod.'

Yna, fe welodd Seimon rywbeth arall. Roedd nifer o'r hipis yma, yn eu tro, yn aros wrth y siop drws nesa ac yn edrych i mewn drwy'r drws. Wedyn, roedd rhai'n mynd i

fel roedd Gwen yn symud — *as Gwen moved.*
y cwbl o'r arian oedd ganddi hi — *all the money she had*
un siop eto — *one more shop*
yn ddigon bodlon — *content enough*
am ychydig — *for a while (little)*
arnyn nhw — *for (on) them*
pawb oedd yn gwisgo'u gwallt yn hir — *all who wore their hair long*
dal — *to continue (to hold, catch)*
mewn ychydig o funudau — *in a few minutes*
yn eu tro — *in their turn*

mewn i'r siop ac eraill yn edrych yn sur ac yn pasio. Ond doedden nhw ddim yn mynd ymhell. Roedden nhw'n dod yn ôl yr ail waith ac yn edrych i mewn i'r siop. Roedden nhw'n mynd i mewn wedyn gan edrych yn llawer mwy siriol. Fe droiodd Seimon i weld pa fath o siop oedd hon drws nesa. Siop sigarets a thybaco! Twt! Doedd dim byd od yn hynny. Fe edrychodd Seimon i fyny ac i lawr y stryd. Doedd dim un siop dybaco o fewn golwg. A pheth arall, roedd lle i'r bysys aros yn syth o flaen y siop, a pha le mwy naturiol i fynd iddo na hwn? Ac nid hipis oedd pawb oedd yn mynd i mewn i'r siop.

Ond roedd y cwestiwn yn dal i boeni Seimon. Ar ôl iddyn nhw edrych i mewn i'r siop, pam roedd rhai'n mynd i mewn, ac eraill yn pasio; ac roedd y rhai oedd yn pasio'n dod yn ôl yr ail waith. Fe ddaeth yr ateb yn sydyn i Seimon. Roedden nhw'r hipis yn mynd i mewn i'r siop pan oedd hi'n wag — ie, pan oedd hi'n wag!

Fe stopiodd bws y tu allan i'r siop ac fe ddaeth dau o'r dynion mwya hipi welodd Seimon erioed allan ohono. Roedd eu gwallt nhw'n hir i lawr dros eu hysgwyddau a'u dillad a'u hwynebau nhw'n frwnt. Roedd mwy o eisiau sebon arnyn nhw na dim byd arall — a bwyd yn eu boliau nhw, meddyliodd Seimon. Yn wir, roedd golwg afiach ar y ddau, a rhyw liw fel mwd melyn ar eu hwynebau nhw. Afiach . . . afiach . . . afiach! Roedd y gair yn rhedeg drwy feddwl Seimon fel tân. Ond dyna! Roedd pob hipi'n afiach i Seimon — yn afiach o gorff a meddwl. Yn sydyn, fe ddaeth un o eiriau Jim Daniel i'w feddwl e. Cyffuriau! Os oedd rhywun yn y byd yn cymryd cyffuriau, roedd y ddau yma yn ddigon siŵr.

Wedi i'r ddau hipi ddod allan o'r bws, fe safon nhw ar y pafin am foment neu ddwy, yna cerdded yn araf at ddrws y

yr ail waith — *a second time*
pa fath — *what kind, sort*
y rhai oedd yn pasio — *those who passed*
pan oedd hi'n wag—*when it* (fem.) *was empty*
gwag — *empty*
Roedd mwy o eisiau sebon arnyn nhw — *They needed soap more*
na dim byd arall — *than anything else*
afiach o gorff a meddwl — *unhealthy in (of) body and mind*
cyffur (cyffuriau), m. — *drug*

siop ac edrych i mewn. Nodiodd y ddau ar ei gilydd a cherdded i mewn.

Oedd yr hipis yma'n gallu prynu cyffuriau yn y siop yma? Am yr ail waith fe droiodd Seimon ac edrych yn ffenest y siop ac ar yr enw uwchben. *Coffin and Box, Tobacconists!* Fuodd erioed enw gwell ar bobl oedd yn gwerthu tybaco, meddyliodd Seimon. Doedd e ei hun byth yn smocio.

'Sut bydd y ddau yma'n edrych pan ddôn nhw allan — yn sur neu'n siriol?' meddyliodd Seimon. Ond cyn iddyn nhw ddod, dyma Gwen allan o'r bwthig i dorri ar ei feddyliau. Roedd parsel mawr arall ganddi hi.

'Dyna ni, Seimon. Rydw i wedi prynu'r anrheg ola sy arna i ei eisiau. Beth am gwpanaid o goffi cyn i ni fynd 'n ôl at y car?'

'Dim, diolch. Mae rhaid i ni fynd â'r parseli yma'n syth at y car. Ac mae arna i eisiau siarad â Jim Daniel ar unwaith,' atebodd Seimon.

'O? Mae'r ditectif wedi bod yn cadw ei lygaid yn agored?' meddai Gwen.

'Ydy, ac mae e wedi gweld rhywbeth fydd yn bwysig iawn i Jim Daniel, rydw i'n meddwl. Rhywbeth fydd yn symud yr olwg drist yna oedd ar ei wyneb e pan oedden ni'n siarad ag e yn yr iard,' meddai Seimon.

'I ffwrdd a ni, te,' meddai Gwen . . .

Mewn byr amser wedyn, roedd Seimon a Gwen yn ôl wrth y Triumph. Roedd yn dda gan Seimon gael taflu'r parseli oedd ganddo fe i gefn y car.

'Tra ydych chi'n siarad ag Inspector Daniel, fe fydda i'n aros yn y car,' meddai Gwen. 'Mae papur merched gen i yma.'

'O, nac ydych. Rydych chi'n dod i siarad â'r Inspector

Fuodd erioed enw gwell ar bobl — *There never was a better name for people*
yr anrheg ola sy arna i ei eisiau — *the last present I want*
rhywbeth fydd o bwys — *something that will be of importance*
rhywbeth fydd yn symud — *something that will move*
y parseli oedd ganddo fe — *the parcels he had*
tra ydych chi — *while you are*

hefyd. Yn fwy na thebyg, fe fydd arnon ni eisiau eich help chi. Felly, mae rhaid i *chi* glywed y stori sy gen i hefyd.'

'Fe fydd arnoch chi eisiau fy help?'

'Bydd, Gwen.'

'I beth, Seimon?'

'Dewch i siarad â Jim yn gynta. Fe fyddwch chi'n deall beth sy gen i'n well wedyn.'

Fe aeth Seimon a Gwen i mewn i adeilad hardd yr Heddlu, a gofyn i'r cwnstabl oedd wrth y ddesg y tu mewn am gael mynd i weld Inspector Daniel. Roedd y cwnstabl yn nabod Seimon yn dda.

'Siŵr iawn. Rydych chi'n gwybod lle mae stafell yr Inspector,' meddai fe. 'Cymerwch y lifft.'

Fe aeth Seimon a Gwen i fyny yn y lifft, ac mewn hanner munud, roedden nhw'n curo wrth ddrws stafell Jim Daniel.

'Dewch i mewn,' galwodd llais o'r tu mewn.

'Seimon a Gwen!' meddai Jim Daniel yn llawen pan welodd e pwy oedd yno. 'Wel, wel! Beth sy wedi dod â chi yma eto? Does dim lle i chi barcio yn y stafell yma, cofiwch.'

'Mae Seimon Prys, ditectif o ryw fath, wedi bod yn cadw ei lygaid yn agored, ac mae e wedi gweld rhywbeth fydd o bwys mawr i chi, meddai fe,' meddai Gwen gan chwerthin.

'O? Beth welsoch chi, Seimon?' gofynnodd yr Inspector.

'Wel, i gadw'r stori'n fyr, roeddwn i'n sefyll y tu allan i siop ddillad yn Heol y Castell . . .' dechreuodd Seimon. Ond fe dorrodd Gwen ar ei draws.

'*Boutique Odette*,' meddai hi.

Fe ddechreuodd Seimon unwaith eto.

'Roeddwn i'n sefyll y tu allan i'r siop yma fel Santa Clôs yn llawn o barseli, ac yn aros nes i mei ledi ddod allan . . .'

yn fwy na thebyg — *more than likely*
beth sy gen i — *what I have*
yn well — *better*
y cwnstabl oedd wrth y ddesg — *the constable who was at the desk*
o ryw fath — *of some sort, kind*
fe dorrodd Gwen ar ei draws — *Gwen interrupted him (Gwen broke across him)*
nes i mei ledi ddod allan — *until my lady came out*

'Fi ydy honna,' meddai Gwen. 'A does dim rhaid i chi fod mor sarcastig.'

'Wel, byddwch yn dawel, te. Drws nesa i'r bwthig yma mae siop dybaco.'

'Siop Coffin a Box — os clywsoch chi enw gwell erioed ar bobl sy'n gwerthu sigarets,' meddai Jim Daniel. 'Rydw i'n gwybod am y lle'n dda.'

'Dyma beth welais i,' meddai Seimon. 'Tra oeddwn i'n aros yno, fe welais i . . . O . . . naw . . . deg . . . dwsin, rydw i'n siŵr, o hipis yn dod ac yn sefyll y tu allan i'r siop sigarets yma, edrych i mewn iddi, ac wedyn, roedd rhai'n mynd i mewn yn syth, a rhai'n pasio. Ond roedd y rhai oedd yn pasio'n dod yn ôl yr ail waith. Roedd gwallt hir gan yr hipis yma i gyd, a dillad a dwylo brwnt, wrth gwrs. Ac roedd yr olwg fwya afiach welais i erioed ar rai ohonyn nhw.'

'Ewch ymlaen, Seimon,' meddai Jim Daniel. 'Rydych chi wedi taro ar rywbeth, rydw i'n siŵr.'

'Wel, te, y cwestiwn yn fy meddwl i oedd, pam oedd rhai'n mynd yn syth i mewn i'r siop, ac eraill yn pasio ond yn dod yn ôl yr ail waith.'

'Fe alla i ateb y cwestiwn yna,' meddai'r Inspector. 'Roedden nhw'n mynd i mewn i'r siop pan oedd hi'n wag.'

'Dyna oedd fy ateb i i'r cwestiwn hefyd, Jim. Rydw i'n amau'r siop yna, Jim. Rydych chi'n cofio sôn wrthon ni y bore yma am bobl sy'n gwerthu cyffuriau ar hyd y dref yma. Oes cyffuriau'n cael eu gwerthu yn y siop yma? Mae rhywbeth od yn mynd ymlaen yno, mae hynny'n ddigon siŵr.'

'Cyffuriau! Tybed! Mae rhaid i ni weld beth sy'n mynd ymlaen yno, Seimon.'

'Rhaid, ac mae syniad gen i.'

'Beth ydy'r syniad?'

os clywsoch chi enw gwell erioed— *if you ever heard a better name*
Dyma beth welais i — *This is what I saw*
tra oeddwn i — *while I was*
yr olwg fwya afiach welais i erioed — *the most unhealthy look I ever saw*
wel, te — *well, then*
fe alla i — *I can*
amau — *to doubt, to suspect*
oes cyffuriau'n cael eu gwerthu — *are drugs being sold*

'Yn ddigon syml — dilyn un o'r hipis yma i mewn i'r siop i weld beth sy'n digwydd yno. Dyna i gyd.'

'Wrth gwrs, ond mae'n amhosibl i blismon ddilyn yr hipis i mewn i'r siop. Fe fydd dyn y siop yn amau ar unwaith. Mae pobl o'r math yma'n graff iawn, a . . .'

Fe dorrodd Seimon ar draws yr Inspector.

'Fydd dim eisiau i blismon fynd i mewn i'r siop o gwbl. Mae'r mêt gorau gafodd ditectif erioed yn sefyll yn y stafell yma y munud yma. Mae Gwen yn barod i helpu'r Heddlu unrhyw amser, on'd ydych chi, Gwen?' meddai Seimon.

'Syniad ardderchog,' meddai'r Inspector. 'Gwen! Does neb sy'n gallu gwneud gwaith fel hyn yn well na chi. Ydych chi'n barod i helpu?'

'Ydw, siŵr iawn,' oedd yr ateb.

'O'r gorau,' meddai Jim Daniel. 'Yn ôl â chi ac aros yn agos at y siop dybaco yna. Wedyn, pan fydd hipi'n mynd i mewn — ac fe fydd un a mwy eto'n dod, mae'n siŵr — fe fyddwch chi'n ei ddilyn e . . . i brynu sigarets neu rywbeth. Ond does dim eisiau i fi ddweud wrthoch chi beth i'w wneud, Gwen. Rydych chi'n hen law ar job o'r math yma erbyn hyn.'

* * * *

'Hy! Ble mae'ch hipis chi nawr, Seimon? Rydyn ni wedi bod yma am chwarter awr, a dydw i ddim wedi gweld un wyneb afiach eto,' meddai Gwen. 'Ac mae eisiau cwpanaid o goffi arna i'n dost. Rydw i wedi blino ar ôl y siopa yna.'

'Rydyn ni'n aros yma nes i ryw hipi neu ei gilydd ddod o rywle . . . Ust! Fe fyddwn ni'n lwcus nawr, rydw i'n credu. Peidiwch ag edrych, Gwen, ond dyma un yn dod nawr. Mae golwg digon brwnt ac afiach ar hwn. Beth fydd e'n ei

o'r math yma — *of this sort*
craff — *keen (of mind), perspicacious*
y mêt gorau gafodd ditectif erioed — *the best mate a detective ever had*
neb sy'n gallu gwneud gwaith fel hyn yn well na chi — *anyone who can do work like this better than you*
beth i'w wneud — *what to do*
nes i ryw hipi neu ei gilydd ddod— *until some hippy or other comes*

wneud, tybed? Dyma fe . . . Mae e'n aros wrth y siop . . . edrych i mewn . . . ac i mewn ag e! Ar ei ôl e, Gwen!'

Fe aeth Gwen yn syth i mewn i'r siop. Roedd yr hipi wrth y cownter.

'*Yes, please,*' meddai fe wrth y dyn oedd y tu ôl i'r cownter.

Ond roedd y gŵr craff hwnnw wedi gweld Gwen yn barod.

'*Oh, ladies first,*' meddai fe a'r olwg fwya caredig yn y byd ar ei wyneb. '*Can I help you?*'

'Ym . . . Embassy . . . ugain . . . os gwelwch yn dda,' meddai Gwen yn gwbl naturiol yn Gymraeg. Ac fe atebodd y gŵr oedd y tu ôl i'r cownter yn Gymraeg hefyd.

'Dyma chi.'

'Diolch,' meddai Gwen, ac i ffwrdd â hi allan, ar ôl talu, gan deimlo mwy o liw yn ei hwyneb nawr nag roedd pan aeth hi i mewn i'r siop!

'Wel?' gofynnodd Seimon pan ddaeth hi ato fe.

'Dim lwc! Roedd y dyn sy y tu ôl i'r cownter yna'n rhy gyflym ac yn rhy graff. Ond dyma rywbeth i chi. Ofynnodd yr hipi ddim am sigarets na thybaco na dim. Dim ond dweud "*Yes, please*"!'

'"*Yes, please*"? O, da iawn, Gwen,' meddai Seimon gan wenu'n hapus. 'Rydyn ni'n gwybod lle i ddechrau nawr.'

'Lle i ddechrau?'

'Ie, ond mae rhaid i ni weld yr hipi yna'n dod allan o'r siop yn gynta. Fydd e ddim yn hir, rydw i'n siŵr.'

Naddo, fuodd e ddim yn hir cyn dod allan o'r siop. Pan ddaeth e, roedd e'n agor paced o sigarets, ond roedd ei wyneb e mor hir â ffidil, ac roedd e'n edrych yn ddiflas a siomedig.

'Roedd pob hipi arall ddaeth allan o'r siop yn edrych yn ddigon hapus a bodlon,' meddai Seimon. 'Ond nid hwn!'

y gŵr craff hwnnw — *that sharp (keen-minded) man*
gan deimlo mwy o liw . . . nag roedd — *feeling more colour . . . than there was*
mor hir â ffidil — *as long as a fiddle*
diflas — *miserable, disagreeable*
pob hipi arall ddaeth allan o'r siop — *every other hippy that came out of the shop*

'Fe gafodd e ei siomi ryw ffordd neu ei gilydd,' meddai Gwen. 'Hynny ydy, os oedd e'n disgwyl cael cyffuriau yn y siop. Dim cyffuriau i'w cael, efallai.'

'Neu, efallai, roedd dyn y siop wedi cael ei ddychryn gennych chi, Gwen, yn mynd i mewn i'r siop mor sydyn ar ôl yr hipi.'

'Neu roedd e'n f'amau i, Seimon.'

'Mae'n bosibl. Ond oes cyffuriau'n cael eu gwerthu yn y siop yma? Dydyn ni ddim yn gwybod eto . . . Wel, dydyn ni ddim yn siŵr. Dim ond amau rydyn ni. Ond dewch nawr i weld Jim Daniel i ni gael meddwl am y cam nesa.'

'Na, cwpanaid o goffi'n gynta. Rydw i'n teimlo mor nerfus â chath ar ôl bod yn y siop yna. Dyna beth dwl, yntê?'

'Ddim o gwbl. Ond cwpanaid o goffi nawr, fel rydych chi'n dweud. Fydd y *Coffin* na'r *Box* ddim yn cau am oriau eto . . .'

* * * *

Wedi iddyn nhw gael eu cwpanaid o goffi, fe aeth Seimon a Gwen yn ôl i stafell Inspector Jim Daniel, ac, yn naturiol, y cwestiwn cynta oedd, —

'Gawsoch chi lwc?'

'Wel, rydyn ni'n gwybod lle i dechrau, a beth i'w ddweud wrth y dyn sy y tu ôl i'r cownter, — hynny ydy, os ydy e'n gwerthu cyffuriau o gwbl,' atebodd Seimon.

'O? Beth?'

'"*Yes, please*". Dyna beth ddwedodd yr hipi pan ddilynodd Gwen e i mewn i'r siop.'

'Ofynnodd e ddim am sigarets na dim . . . dim ond dweud "*Yes, please*",' meddai Gwen. 'Chafodd yr hipi ddim siawns i ddweud dim arall. Fe dorrodd y siopwr ar ei draws e a gofyn i fi beth roedd arna i ei eisiau. "*Ladies first*,"

Fe gafodd e ei siomi — *He was disappointed*
disgwyl — *to expect*
dim cyffuriau i'w cael — *no drugs to be had*
roedd dyn y siop wedi cael ei ddychryn gennych chi — *the shopkeeper had been frightened by you*
i ni gael meddwl — *for us to think*

meddai fe, ac mor garedig hefyd. Mae'r boi yna'n ddigon craff, credwch chi fi.'

Gwenodd yr Inspector.

'Wel, mae'r cam nesa'n ddigon amlwg,' meddai fe.

'Anfon hipi i mewn i'r siop,' meddai Seimon.

'Ie. Anfon hipi i mewn i'r siop a dweud "*Yes, please*", a gweld beth fydd yn digwydd wedyn. Dydw i ddim yn meddwl bydd plismon o unrhyw help i ni nawr. Ydych chi'n gwybod am rywun sy'n edrych fel hipi, Seimon?' gofynnodd Inspector Daniel.

'Ydw. Rydw i'n nabod bachgen gwallt hir sy'n byw yn agos i ni. Brian Lewis ydy ei enw e, ac mae e'n edrych yn ddigon sur a diflas y rhan fwya o'r amser. Un o'r bois yma sy'n cario problemau'r byd ar eu hysgwyddau nhw ydy e. Mae ei ar ei ail flwyddyn yn y coleg, ac mae digon yn ei ben e. Mae e'n siŵr o helpu, wedi i fi ddweud y stori i gyd wrtho fe. Fydd dim gennych chi yn erbyn hynny, Jim?' meddai Seimon.

'Dim o gwbl. Dim ond i ni ddal un neu ddau o'r bobl yma sy'n gwerthu cyffuriau i'n bobl ifanc ni. Rydw i'n gadael y cwbl yn eich dwylo chi nawr, Seimon. Ond fe fydda i a dyn neu ddau arall yn agos, ac fe fydd gwarant gen i i chwilio'r siop, os bydd eisiau.'

'Da iawn. Fe fydd Brian a fi wrth y siop am . . . ym . . . dri o'r gloch. Hynny ydy, os galla i roi fy nwylo ar Brian. Ond dydy e ddim yn un sy'n mynd allan ryw lawer. Mae e'n dipyn o swot, chi'n gwybod.'

'Ac fe fydda i gyda'r ddau,' meddai Gwen. 'Da boch chi nawr.'

'Da boch chi'ch dau, a diolch am eich help,' meddai Jim Daniel, ac roedd e'n edrych yn llawer mwy siriol nawr nag roedd e'r bore cynta.

* * * *

credwch chi fi — *(you) believe me*
am rywun sy'n edrych—*of (about) someone who looks*
y rhan fwya o'r amser — *most (the biggest part) of the time*
yn erbyn hynny — *against that*
os galla i — *If I can*
un sy'n mynd allan ryw lawer — *one that goes out much*
llawer mwy siriol — *far (much) more cheerful*
'r bore cynta — *first thing (the first morning)*

Am dri o'r gloch y prynhawn, roedd Seimon, Gwen a'r bachgen Brian Lewis yn y stryd yn agos at siop *Coffin and Box, Tobacconists.*

'Mae rhaid i ni aros nawr,' meddai Seimon, 'nes i ni weld rhyw hipi'n dod. Ac mae'n well i ni gadw o olwg y siopwr yna, neu fe fydd e'n siŵr o amau rhywbeth.'

Fe fuon nhw'n disgwyl am funud neu ddau, ac yna, fe welson nhw hipi'n dod ac yn edrych i mewn i'r siop. Roedd y lle'n wag achos i mewn ag e.

'Dyma lwc,' meddai Seimon. 'I mewn â chi, Brian. Gwrandewch beth mae e'n ei ddweud, a dwedwch chi'r un peth wedyn wrth y dyn sy y tu ôl i'r cownter.'

'O'r gorau,' meddai Brian, ac i mewn ag e ar ôl yr hipi. Roedd Brian wedi cael y stori i gyd gan Seimon, ac roedd e'n gwybod beth i'w ddisgwyl.

Roedd yr hipi wrth y cownter.

'*Yes, please,*' meddai hwnnw, ond fe dorrodd y siopwr ar ei draws e pan welodd e Brian. Doedd e ddim yn nabod yr hipi yma.

'*Just a minute,*' meddai fe'r siopwr, ac yna wrth Brian, '*Can I help you first?*'

'*Yes, please,*' atebodd Brian.

'*Yes, please what?*' gofynnodd y siopwr.

'*Oh, you know,*' meddai Brian.

'*No, I don't know. Is this a guessiug game, or what?*' gofynnodd y siopwr. '*Tell me what you want.*'

'*A packet of . . . of . . . Players Number 6. Ten, please.*'

Fe dalodd Brian am y sigarets ac allan ag e.

'Gawsoch chi lwc?' gofynnodd Seimon.

Dangosodd Brian y Players No. 6 iddo fe.

'O!' meddai Seimon yn siomedig.

'Roedd y siopwr yn f'amau i, rydw i'n siŵr,' meddai Brian wedyn, a stopio'n sydyn. Yna, meddai fe, 'Dyma'r hipi'n dod

mae'n well i ni gadw o olwg — *we'd better keep out of sight*

beth i'w ddisgwyl—*what to expect*

allan nawr. Mae Players No. 6 ganddo fe hefyd. Mae e'n amlwg wedi cael ei siomi. Mae e'n edrych yn sur a siomedig . . . ond peidiwch ag edrych nawr. Mae'r siopwr yn ein gwylio ni drwy'r ffenest.'

'Ac mae Inspector Daniel yn ei siwt dydd Sul yn ein gwylio ni a'r siopwr hefyd. Dyma fe'n dod.'

'Beth gawsoch chi?' gofynnodd Inspector Daniel wedi iddo fe ddod at y tri.

Dangosodd Brian ei baced o Players No. 6.

'Chawsoch chi ddim lwc, te, Brian?'

'Do,' meddai Seimon Prys. 'Mae digon o le i amau'r siopwr yna nawr. I mewn â chi i chwilio'r lle. Mae gwarant gennych chi.'

'Oes, ac fe welson ni fe yn eich gwylio chi drwy'r ffenest. Does dim amser i'w golli.'

Fe aeth yr Inspectior i mewn i'r siop gyda phlismon arall — fe hefyd yn ei siwt dydd Sul.

Ar ôl munud neu ddau, fe edrychodd Seimon i mewn drwy ddrws y siop. Roedd Inspector Daniel y tu ôl i'r cownter, ac ar y cownter roedd nifer o bacedi o sigarets. Doedd dim papur seloffên ar y pacedi yma. Roedd golwg ddiflas ofnadwy ar wyneb y siopwr.

'Wel, dyna un o'r bobl sy'n gwerthu cyffuriau wedi cael ei ddal, mae hynny'n ddigon amlwg. Fydd y boi bach yna ddim yn gwerthu sigarets na dim arall dros y Nadolig. Dewch, Brian. Fe wnaethoch chi eich gwaith yn ardderchog. Rydyn ni'n mynd nawr i'r lle gorau yn y dref i gael te.'

'Fi hefyd?' gofynnodd Gwen yn siriol. 'Fe wnes i fy rhan hefyd.'

'Chi hefyd, Gwen. Yr Heddlu fydd yn talu,' meddai Seimon.

Mae e'n amlwg wedi cael ei siomi — *He has obviously been disappointed*
i'w golli — *to lose, to be lost*
dyna un o'r bobl, etc. — *one of the people who sell drugs has been caught*
Fe wnes i fy rhan — *I did my part*

MR. JONES A'R GEMAU

GŴR busnes craff oedd Mr. Eleasar Samuel. Yn wir, fe oedd brenin gwŷr busnes Caerolau i gyd. Roedd arian ganddo fe ymhob busnes a ffatri, cwmni a gwaith oedd yn y dref ac o'i chwmpas. Ie, fe oedd y brenin, ond doedd e ddim yn edrych fel brenin. Yn wir, roedd e'n fwy tebyg i fwnci bach gyda'i gorff bach, tenau a'i wyneb main a'i ddau lygad tywyll oedd yn fflachio yn ei ben. Ond pan oedd e'n siarad busnes roedd y mwnci bach yn fwy tebyg i deiger!

Roedd e wedi dechrau gweithio yn syth wedi iddo fe adael yr ysgol mewn swyddfa yn y dref. Yno doedd neb yn ei hoffi fe, efallai achos ei fod e'n edrych mor debyg i fwnci bach, neu, efallai, achos ei fod e'n gallu gweithio'n well na neb arall. Roedd hi'n amlwg iddo fe sut roedd pobl yn teimlo tuag ato fe, ac felly fe aeth e ei ffordd ei hun, a dim ond un pwrpas oedd ganddo fe mewn bywyd wedyn, sef gwneud arian. Ac fe wnaeth e arian. Cyn iddo fe gyrraedd ei bump ar hugain oed, roedd e wedi gwneud ffortiwn. Roedd e hefyd wedi ennill gwraig. Doedd neb yn gallu deall beth welodd hi ynddo fe, ond roedd hi'n ei ddeall e ac yn ei garu fe, ac roedd hynny'n ddigon i Eleasar Samuel. A nawr roedd ei fywyd i gyd yn troi o'i chwmpas hi . . . a'i arian. Fe brynodd e dŷ mawr braf iddi hi ryw ddeng milltir allan o'r dref, ac yno roedd hi'n byw fel brenhines. Mae'n wir fod Eleasar Samuel yn hoff iawn o'i arian ac yn ofalus iawn ohono, ond doedd arno fe ddim ofn gwario ar y wraig yma oedd wedi rhoi ei bywyd iddo fe.

gem (gemau), f. — *gems*
main — *thin, lean*
swyddfa (swyddfeydd), f. — *office*
achos ei fod e'n edrych fel — *because he looked (as looking) like*
achos ei fod e'n gallu — *because he could (was able)*
beth welodd hi — *what she saw*
Mae'n wir for Eleasar Samuel yn hoff iawn—*It's true that Eleasar Samuel was very fond*

Roedd e'n ŵr canol oed erbyn hyn, a dyma fe nawr yn ei swyddfa yn un o'r adeiladau mwya a hardda yn y dref — adeilad gododd e'n bencadlys iddo fe'i hun ac yn symbol o'i le ym myd busnes y dref. Gyda fe yn y swyddfa roedd dau ŵr. Mr. Eben Jones, ei ysgrifennydd, oedd un — gŵr tal, tenau a choesau hir, main ganddo fe fel coesau brwsys — a'r llall oedd Mr. Seimon Prys.

'Nawrte, busnes!' meddai Eleasar Samuel a'i lygaid tywyll yn fflachio yn ei ben. 'Ond yn gynta, diolch yn fawr i chi, Mr. Prys, am ddod i gwrdd â ni yma. Rydyn ni'n dau — chi a fi — mor brysur â'n gilydd, ac mae amser yn bwysig i chi fel mae e'n bwysig i fi. Ac felly rydw i'n dod yn syth at y pwynt. Mae tasg fach gen i i chi, Mr. Prys, tasg syml, ond tasg bwysig iawn hefyd.'

Fe edrychodd e'n graff ar Seimon ac ar Mr. Jones, ac yna fe aeth e ymlaen, —

'Rydw i'n disgwyl parsel bach o emau o'r Iseldiroedd heno, Mr. Prys, o Amsterdam. Mae'r gemau yma'n werthfawr iawn. Anrheg brynais i i fy ngwraig ydyn nhw pan oedden ni yn yr Iseldiroedd yn yr haf. Ond roedd eisiau gwneud tipyn o waith arnyn nhw — gwneud cadwyn ohonyn nhw — cyn i fi eu rhoi nhw iddi hi. Rydw i wedi cael gwybodaeth nawr fod y gwaith wedi cael ei wneud, ac rydw i wedi trefnu i'r cwmni yn yr Iseldiroedd anfon y gemau gyda Capten Stradling ar ei long, y Castell Coch. Mae e, Capten Stradling, gyda llaw, yn un o'r ychydig iawn, iawn o ffrindiau sy gen i, Mr. Prys. Mae e wedi gwneud llawer o waith i fi, yn cario pethau gwerthawr yn ôl ac ymlaen i'r Cyfandir. Mae'n well gen i anfon pethau gyda fe na thrwy'r post neu unrhyw ffordd arall.'

canol oed — *middle-aged*
hardda — *most handsome*
adeilad gododd e'n bencadlys — *a building he erected as a headquarters*
cwrdd â (ag) — *to meet*
mor brysur â'n gilydd — *as busy as each other*
tasg (tasgau), f. — *task, job*
Anrheg brynais i i fy ngwraig ydyn nhw — *They are a present I bought for my wife*
cadwyn, f. — *chain*
fod y gwaith wedi cael ei wneud — *that the work has been done*
trefnu — *to arrange*
gyda llaw — *by the way*
Cyfandir — *Continent*

'Mae'r dyn bach yma'n amau pawb, ond mae'n debyg fod ganddo fe ddigon o achos i amau pobl eraill,' meddyliodd Seimon wrth wrando arno fe'n siarad.

'Wel, te,' aeth Eleasar Samuel ymlaen, 'fe fydd y Castell Coch yn docio yn ddiweddar y prynhawn yma, ond erbyn saith o'r gloch fe fydd y llong wedi cael ei chlirio gan wŷr y Dollfa, a gyda llaw, rydw i wedi rhoi pob gwybodaeth am y gemau iddyn nhw. Felly, fydd dim trwbwl i'w ddisgwyl ganddyn nhw. Rydw i wedi trefnu i chi, Mr. Jones, a chi, Mr. Prys, fynd ar fwrdd y llong am saith o'r gloch, ac fe fydd Capten Stradling yn rhoi'r gemau i chi.'

'A dyna'r dasg sy gennych chi i fi, Mr. Samuel?' gofynnodd Seimon. 'Mynd ar fwrdd y Castell Coch i gasglu'r gemau gyda Mr. Jones?'

'Ie, dyna'r dasg, Mr. Prys,' atebodd Eleasar Samuel.

'Ond gwaith i un o'r cwmnïau diogelwch yma ydy hyn. Maen nhw'n gallu gwneud gwaith fel hyn yn well na fi,' meddai Seimon.

'Cwmnïau diogelwch? Hy! Mae mwy o ymosod ar y faniau diogelwch yma nag ar unrhyw fath arall o fan neu gar. Mae'r papurau bob dydd yn llawn o hanes ymosodiadau o'r fath. Mae'n well gen i fy ffordd fach breifat fy hun o wneud pethau. Na, fe fydd Mr. Jones, f'ysgrifennydd, yn casglu'r gemau, ond mae arna i eisiau i chi, Mr. Prys, fynd gyda fe.'

Doedd Mr. Eben Jones, yn amlwg, ddim yn hoffi'r syniad o gael neb i fynd gyda fe i gasglu'r gemau, ac meddai fe, —

'Does arna i ddim eisiau neb gyda fi, Mr. Samuel. Rydw i wedi casglu llawer o bethau gwerthfawr o'r dociau i chi. Dydych chi ddim yn dechrau f'amau i nawr, ydych chi?'

'Na, dydw i ddim yn eich amau chi, Mr. Jones, ond fuoch chi ddim erioed yn casglu pethau mor werthfawr â'r gemau

mae'n debyg fod ganddo fe ddigon o achos — *he probably has cause enough*
diweddar — *late*
Tollfa — *Customs*
i'w ddisgwyl — *to be expected*
cwmni (cwmnïau) diogelwch — *security companies*
unrhyw fath arall — *any other kind*
gwerthfawr — *valuable*

yma. Ac mae rhaid i fi fod yn fwy gofalus na'r arfer y tro yma.'

Fe edrychodd Mr. Jones yn sur iawn ar ei feistr.

'Does dim rhaid i chi edrych mor sur, Mr. Jones. Dydw i ddim yn eich amau chi o gwbl. Dwedwch fy mod i'n amau pobl eraill,' meddai Mr. Samuel.

'Pobl eraill? Pwy rydych chi'n amau, Mr. Samuel?' gofynnodd Seimon.

'O, dydw i ddim yn gwybod, ond dwedwch ei bod hi'n naturiol i fi amau pawb a phopeth yn fy ngwaith i. Ond mae pobl eraill yn gwybod am y gemau. Mae rhai o bobl y Dollfa'n gwybod amdanyn nhw, ac rydw i'n siŵr fod un neu ddau ar y llong yn gwybod, ac felly . . . Wel, y pwynt ydy does arna i ddim eisiau colli'r gemau yma. Anrheg i fy ngwraig ydyn nhw. A dyna pam, Mr. Prys, rydw i'n gofyn i chi fynd gyda Mr. Jones i gasglu'r gemau, Fe fydda i'n fwy tawel fy meddwl os bydda i'n gwybod fod rhywun fel chi gyda Mr. Jones.'

Ond dal i edrych yn ddigon sur a diflas roedd Mr. Eben Jones. Pam roedd rhaid iddo fe gael rhywun i fynd gyda fe y tro yma? Roedd e wedi bod yn gweithio gyda Mr. Samuel am flynyddoedd nawr, ac yn siŵr ddigon, roedd e'n ei nabod e'n ddigon da erbyn hyn.

Fe dorrodd Seimon Prys ar draws ei feddyliau.

'Fe fydd Mr. Jones a fi'n casglu'r gemau, Mr. Samuel. Ble byddwn ni'n mynd â nhw wedyn? Fyddwn ni'n dod â nhw yma i'r swyddfa?'

'O, na. Mae arna i eisiau i chi ddod â nhw i fy nghartref, Gelli'r Gog. Fe fydd fy ngwraig a fi'n aros amdanoch chi. Efallai eich bod chi'n gwybod am y tŷ, Mr. Prys. Mae e rhyw ddeng milltir allan o'r dref,' atebodd Eleasar Samuel.

na'r arfer — *than usual*
Dwedwch fy mod i'n amau — *Say that I doubt*
dwedwch ei bod hi'n naturiol i fi — *say that it is natural for me*
rydw i'n siŵr fod un neu ddau — *I'm sure that one or two*
os bydda i'n gwybod fod rhywun fel chi — *if I know that there is someone like you*
Efallai eich bod yn gwybod am — *Perhaps you know of*

'Rydw i wedi clywed am y lle, Mr. Samuel. Lle braf iawn, rydw i'n clywed.'

'Y lle hardda yn y Fro, Mr. Prys. Fe gostiodd y lle y byd i fi, ond does dim ots gen i faint gostiodd y lle, dim ond fod fy ngwraig yn hapus yno.'

'Yn wir, mae'r dyn yma'n meddwl y byd o'i wraig,' meddyliodd Seimon.

'Dyna ni, te,' meddai Mr. Samuel wedyn. 'Fel dwedais i, fe fydd y Castell Coch yn docio yn ddiweddar y prynhawn yma, ac rydw i wedi trefnu gyda Capten Stradling i chi fynd ar fwrdd y llong am saith o'r gloch ar ôl i'r llong gael ei chlirio gan bobl y Dollfa. Gyda llaw, yn yr Albert bydd y llong yn-docio, fel arfer, Mr. Jones. Ewch chi i lawr i'r doc yn y Rover a chwrdd â Mr. Prys yno. Rydw i'n siŵr bydd Mr. Prys yn trefnu ei hun sut i fynd i lawr i'r Albert.'

'Mae car gen i hefyd,' meddai Seimon gan wenu.

'Mae'n ddrwg gen i, Mr. Prys. Doeddwn i ddim yn ceisio gwneud yn fach ohonoch chi.'

'Popeth yn iawn, Mr. Samuel. Rydw i'n credu fod Mr. Jones a fi'n deall ein gilydd nawr, a beth sy rhaid i ni ei wneud, e, Mr. Jones?'

'Ydw, rydw i'n deall,' atebodd Mr. Jones, yn ddigon sur o hyd. 'Ond rydw i'n ddigon abl i wneud y dasg fach yma ar fy mhen fy hun.'

'O, fe fyddwn ni'n gwmni i'n gilydd, Mr. Jones,' meddai Seimon yn siriol wrth y dyn tal, tenau a'r coesau fel coesau brwsys.

'Dyna ni, te,' meddai Mr. Samuel. 'Mae popeth yn glir nawr. Fe fydd fy ngwraig a fi'n eich disgwyl chi yn nes ymlaen heno. Da boch chi nawr.'

Fe gostiodd y lle y byd i fi — *The place cost me the world*
faint gostiodd y lle — *how much the place cost*
dim ond fod fy ngwraig yn hapus — *as long as my wife is happy (only that my wife is happy)*
ar ôl i'r llong gael ei chlirio — *after the ship has been cleared*
Rydw i'n credu fod Mr. Jones — *I believe that Mr. Jones*
rydw i'n siŵr fy mod i'n ddigon abl — *I'm sure that I am able enough*
yn nes ymlaen heno — *later on tonight (further on tonight)*

'O'r gorau, Mr. Samuel. Fe fydd yn dda gen i gwrdd â'ch gwraig. Da boch chi nawr,' meddai Seimon. Yna gan droi at Mr. Eben Jones, 'Fe wela i chi wrth yr Albert Dock am saith o'r gloch. Peidiwch â bod yn hwyr!'

'Dydw i byth yn hwyr,' oedd ateb sur Mr. Jones . . .

* * * *

Pan gyrhaeddodd Seimon adref o swyddfa Eleasar Samuel, roedd Gwen yn ei ddisgwyl e.

'Wel, dyma chi o'r diwedd. Fe fuoch chi'n hir, Seimon. Rydw i'n siŵr fod rhyw fusnes pwysig iawn gan Mr. Eleasar Samuel i chi ei wneud. Gyda llaw, ble cafodd e'r enw Eleasar yna?'

'Dydw i ddim yn gwybod ble cafodd e'r enw — o'r Beibl, efallai,' atebodd Seimon. 'Ac roedd y busnes yn bwysig.'

'O? Beth oedd e, Seimon?' gofynnodd Gwen yn glustiau i gyd.

'Mae Mr. Eleasar Samuel yn disgwyl gemau gwerthfawr o'r Iseldiroedd. Fe fyddan nhw'n cyrraedd Doc Albert yn ddiweddar y prynhawn yma ar y llong Castell Coch. Fe fydda i'n cwrdd â Mr. Eben Jones, ysgrifennydd Mr. Samuel, wrth yr Albert am saith o'r gloch. Wedyn, ar ôl i ni gasglu'r gemau, fe fyddwn ni'n dau'n mynd â'r gemau i Gelli'r Gog, cartref Mr. Eleasar Samuel i lawr yn Y Fro.'

'Ni'n dau, Seimon? Chi a fi?'

'Nage. Mr. Jones a fi.'

'O, fe fydda i yn y tŷ ar fy mhen fy hun drwy'r nos unwaith eto,' meddai Gwen yn siomedig.

'Wel, does dim rhaid i chi aros yn y tŷ ar eich pen eich hun, Gwen. Fe fydda i'n mynd i lawr i Gelli'r Gog yng nghar Mr. Jones. Fe allwch chi fy ngyrru i i lawr i'r Albert, ac wedyn, mynd am dro ar eich pen eich hun.'

fe wela i chi — *I'll see you*

fod rhyw fusnes pwysig iawn gan Mr. E.S. — *that Mr. E.S. has some very very important work*

'O, Seimon, peidiwch â siarad yn dwp. Fe fydd hi'n dywyll ychydig wedi saith o'r gloch.'

'Wel, fe allwch chi yrru i lawr i'r Fro ac aros nes bydda i'n gorffen fy musnes gyda Mr. Samuel, ac wedyn fe alla i ddod adref gyda chi. Dydw i ddim yn meddwl bydda i'n hoffi llawer ar gwmni Mr. Eben Jones.'

'O? Pam?'

'O, rhyw hen ddyn tal, main a diflas ydy e. A dydw i ddim yn meddwl ei fod e'n rhy hoff ohono i chwaith. Wel, doedd arno fe ddim eisiau i fi fynd i gasglu'r gemau gyda fe — meddwl fod Mr. Samuel yn ei amau fe neu rywbeth.'

'Ydy Mr. Samuel yn ei amau fe?'

'O, mae e, Samuel, yn amau pawb a phopeth. Mae'r byd i gyd yn ei erbyn e, gallwch feddwl wrth ei siarad e. A dydy hynny ddim yn beth od i fi, mae'n ddrwg gen i ddweud, achos dydy e ddim yn ddyn bach . . . ym . . . neis iawn. Rydw i'n siŵr ei fod e'n un caled iawn i daro bargen â fe. Busnes ac arian . . . a'i wraig, ac mae hynny'n beth da . . . ydy'r cwbl sy ganddo fe ar ei feddwl.'

'Gyda llaw, Seimon. Pam mae e'n gofyn i chi fynd gyda'r Mr. Jones yma i gasglu'r gemau? Gwaith i'r bobl diogelwch ydy job fel hyn.'

'O, mae gan Mr. Eleasar Samuel ei ffordd ei hun o wneud popeth. Fe fydd e'n talu'n dda i fi am wneud y job, a dydw i ddim yn poeni fy mhen am ddim byd arall. Mater o fusnes ydy hyn i fi a dim byd arall,' meddai Seimon.

'Y Mr. Jones yma, Seimon. Roeddech chi'n ei alw fe'n hen ddyn tal ac ati. Ydy e wedi bod yn gweithio'n hir gyda Eleasar?' gofynnodd Gwen.

'O, ydy, am flynyddoedd. Ond beth am ginio nawr, Gwen? Mae fy mola bach i'n wag,' meddai Seimon.

'O, ydy e'n wir! Ydy, mae cinio'n barod . . .'

Ond dyna'r ffôn yn canu.

nes bydda i'n gorffen — *until I (shall) finish*
fe alla i — *I can*
ei fod e'n rhy hoff ohono i chwaith — *that he is too fond of me either*
ei fod e'n un caled — *that he is a hard one*
yn poeni fy mhen am ddim byd arall — *worrying my head about anything else*

'O'r gorau, Gwen. Fe â i. Fe allwch chi gael y cinio ar y bwrdd.'

'Helo! Caerolau pedwar dau dim saith. Seimon Prys yn siarad,' meddai fe. 'Pwy sy'n siarad? . . . Pwy? Mae'r lein yma'n ddrwg iawn ar y foment . . . O, Mr. Samuel . . . Dydw i ddim yn eich clywed chi'n glir iawn. Sut rydych chi nawr? . . . Da iawn, diolch . . . Mae arnoch chi eisiau i fi alw . . . dwedwch eto . . . Mae arnoch chi eisiau i fi alw yn y swyddfa am chwech o'r gloch . . . Ie . . . Cyn mynd i gwrdd â Mr. Jones . . . Ydy, mae hynny gen i. O'r gorau, fe fydda i'n galw . . . Popeth yn iawn, Mr. Samuel . . . Twt, dim o gwbl . . . Dydych chi ddim yn fy mhoeni i o gwbl. Dydy'r cinio ddim ar y bwrdd eto. Da boch chi.'

Roedd Gwen wedi sefyll wrth y drws i wrando.

'Hew! Mae'r lein yma'n ddrwg heddiw, Gwen. Fe fydd rhaid i fi siarad â phobl y Post. Roedd hi'n amhosibl nabod y llais yn iawn y pen arall.'

Fe stopiodd Seimon yn sydyn.

'Nabod y llais?' meddai fe'n araf. 'Nabod y llais?'

'Beth sy, Seimon?' gofynnodd Gwen.

'Mr. Samuel oedd yn gofyn i fi alw yn ei swyddfa fe cyn mynd i gwrdd â Mr. Jones,' meddai fe, ac roedd rhyw olwg bell yn ei lygaid.

Roedd Gwen yn nabod yr olwg yna.

'Ydych chi'n amau rhywbeth, Seimon?'

'Wel . . . na. Dydw i ddim yn siŵr. Ond piti fod y lein yna mor ddrwg . . . heddiw o bob dydd. Ond fe fyddwch chi'n dod i lawr i'r swyddfa gyda fi. Dydw i ddim yn gwybod beth fydd yn digwydd wedyn. Mae'n siŵr bydd Mr. Samuel wedi trefnu car i fynd o'r swyddfa i lawr i'r dociau. Ond cinio nawr, Gwen.'

° ° ° °

Fe â i — *I'll go*
Fe allwch chi — *You can*
y pen arall — *the other end*
piti fod y lein yna mor ddrwg — *a pity that the line was so bad*

Fe gallwch chi feddwl, mae'r traffig sy'n mynd i mewn i Gaerolau ac yn dod allan rhwng pump a chwech bob dydd yn drwm iawn. Roedd Gwen yn ddigon abl i yrru drwy unrhyw fath o draffig, ond Seimon oedd yn gyrru'r Triumph i mewn i'r dref i gwrdd â Mr. Eleasar Samuel yn ei swyddfa. Ond cyn cyrraedd y stryd lle roedd y swyddfa, fe welodd e le i barcio, a dyma fe'n stopio'n sydyn.

'Dyma ni, Gwen. Rydw i'n parcio yma. Fydd dim lle, efallai, o flaen swyddfa Mr. Samuel, a dydy'r lle ddim ond rownd y gornel. Rydw i'n mynd i gerdded yno.'

'Ond byddwch chi ddim am fy ngadael i yma ar fy mhen fy hun,' meddai Gwen. 'Fe alla i ddod i'r swyddfa gyda chi.'

'O, na. Fydd Mr. Samuel ddim yn fodlon i hynny, efallai. Ac mae arna i eisiau i chi aros fan yma, a chadw'ch llygaid yn agored. Ac efallai bydd eisiau'r car i fynd i lawr i'r Albert.'

'O'r gorau, Seimon. Rydw i'n credu fy mod i'n deall. Mae rhywbeth yn eich poeni chi, mae hynny'n amlwg,' atebodd Gwen.

'Efallai, ond cadwch eich llygaid yn agored . . .'

Roedd y drws mawr allan i'r adeilad lle roedd swyddfa Eleasar Samuel heb ei gau. Fe aeth Seimon i mewn a cherdded i fyny'r grisiau a churo wrth ddrws stafell y gŵr busnes mawr.

'Dewch i mewn,' meddai llais o'r stafell.

'Od,' meddyliodd Seimon. Roedd y llais yn debyg i lais Mr. Samuel. ond nid llais y gŵr mawr ei hun oedd e, roedd Seimon yn siŵr. 'Ond rydw i'n mynd i mewn.'

Fe agorodd e'r drws a mynd i mewn i'r stafell. Roedd dyn yn eistedd yng nghadair Eleasar Samuel a rifolfer yn ei law. Roedd hances yn cuddio rhan isa'i wyneb, ac roedd ei het wedi cael ei thynnu i lawr dros ei lygaid.

'Pwy yn y byd mawr . . .' dechreuodd Seimon.

Fel gallwch chi feddwl — *As you can imagine (think)*
Rydw i'n credu fy mod i'n deall — *I think (believe) I understand*
y drws mawr allan — *the big outer door*
heb ei gau — *not closed*
rhan isa'i wyneb — *the lower (lowest) part of his face*
Pwy yn y byd mawr — *Who in the wide (big) world*

'Codwch eich dwylo,' meddai'r gŵr yn y gadair.

Edrychodd Seimon ar y dyn yn hir heb symud llaw na throed.

'Codwch eich dwylo, ddwedais i unwaith,' meddai'r dyn a'i lais yn codi.

'Do, fe glywais i chi,' atebodd Seimon a gwenu ar y dyn, ond fe gododd e ei ddwylo . . . yn araf.

'Nawrte, trowch rownd. Mae yna stafell fach y tu ôl i chi lle mae Eleasar Samuel yn cadw ei bapurau preifat ac ati. Mae'r drws yn agored. I mewn â chi i'r stafell,' meddai'r dyn.

'O'r gorau. Fe â i nawr,' atebodd Seimon gan droi i edrych. 'Hy! Dyna le! Dydw i ddim yn gweld na ffenest na dim ynddi hi.'

'Nac oes, does dim ffenest ynddi hi, ond dyna lle byddwch chi'n aros nes i rywun ddod i agor y lle yn y bore.'

'O, piti,' meddai Seimon. 'Clawstroffobia, chi'n gwybod. Gyda llaw, Mr. Beth-ydy'ch-enw-chi, chi oedd yn fy ffonio i amser cinio heddiw.'

'Ie, fi oedd yn eich ffonio chi,' atebodd y dyn gan chwerthin. Roedd e'n glyfar iawn . . . yn ei feddwl ei hun. 'Fe alla i wneud llais fel llais yr hen Eleasar . . . neu lais unrhyw un arall.'

'Llais Mr. Eben Jones?' gofynnodd Seimon gan wylio'r dyn yn graff.

'Yr hen ffŵl yna? Galla, wrth gwrs.'

'Rydych chi'n nabod Mr. Jones, felly.'

'Wel . . .'

Fe newidiodd y dyn ei diwn yn sydyn.

'Wel, meddwl roeddwn i, efallai eich bod chi a Mr. Jones yn . . . ym . . deall eich gilydd,' meddai Seimon. 'Wedi'r cwbl, dim ond Mr. Eben Jones a Mr. Samuel a fi oedd yn

na ffenest na dim—*neither window nor anything*
nes i rywun ddod—*until someone comes*
Galla — *I can*
efallai eich bod chi a Mr. Jones yn . . . deall — *perhaps you and Mr. Jones . . . understand*
wedi'r cwbl — *after all*

gwybod fod Mr. Jones a fi'n cwrdd am saith o'r gloch. Ond roeddech chi'n gwybod. Fe ddwedsoch chi ar y ffôn.'

'O,' meddai'r dyn, 'rydyn ni'r bois yn gwybod beth sy'n mynd ymlaen. Mae'n clustiau ni a'n llygaid yn agored bob amser. Ond dyna ddigon o'r siarad a'r cwestiynau yma. I mewn i'r stafell yna, neu fydda i'n colli fy nhymer.'

'Rydych chi'n dalach nag roeddwn i'u feddwl,' meddai gan droi i wynebu'r dyn unwaith eto.

Neidiodd y dyn ar ei draed.

'Rydych chi'n dalach nag oeddwn i'n feddwl,' meddai Seimon. 'Fe fydda i'n fwy tebyg o'ch nabod chi y tro nesa nawr.'

Collodd y dyn ei dymer yn lân.

'I mewn i'r stafell yna ar unwaith, neu fe fydd bwled drwy eich pen.'

Edrychodd Seimon ar y pistol oedd nawr yn crynu yn llaw y dyn. Roedd bys y dyn yn dechrau gwasgu ar y triger. Roedd yn rhy beryglus i chwarae dim rhagor â'r dyn yma, ac felly fe faciodd Seimon yn araf i mewn i'r stafell, ond meddai fe,

'Dydw i ddim yn hoffi cael fy nghau mewn stafell fach fel hon heb ddim ffenest, ac os bydda i'n marw cyn y bore, wel . . . rydych chi'n gwybod beth fydd yn digwydd i chi.'

'Fe fydda i'n ddigon pell o Gaerolau erbyn y bore,' atebodd y dyn. 'Cadwch eich dwylo i fyny, a dim triciau, cofiwch, neu fel dwedais i . . .'

'Fe fydd bwled drwy fy mhen. Fe glywais i chi y tro cynta. Ac mae'n well i chi frysio, neu fyddwch chi ddim yn cwrdd â Mr. Eben Jones am saith o'r gloch wrth yr Albert Dock,' meddai Seimon.

'Fydda i ddim yn cwrdd â'r ffŵl am saith o'r gloch. Fe fydda i . . .' ac fe stopiodd y dyn, ac edrych yn graff ar

'n dalach na (nag) — *taller than*
yn lân — *completely (clean)*
y pistol oedd nawr yn crynu — *the pistol that now trembled*
Dydw i ddim yn hoffi cael fy nghau — *I don't like being shut up*
Os bydda i'n marw — *If I die*
brysio — *to hurry*

Seimon. 'Rydych chi'n meddwl eich bod chi'n glyfar iawn, on'd ydych chi.'

'Chi sy'n dweud,' atebodd Seimon. 'Ond caewch y drws yma a ffwrdd â chi. Mae fy mreichiau'n dechrau blino wrth eu dal nhw i fyny fel hyn o hyd.'

Doedd y dyn ddim yn gwybod beth i'w wneud o Seimon, ond fe ddaeth e'n araf o'r ddesg, ac fe gaeodd e'r drws yn sydyn yn wyneb Seimon. Fe glywodd Seimon y drws yn cael ei gloi o'r tu allan, ac yna sŵn traed y dyn yn brysio allan . . .

* * * *

Roedd cloc mawr tref Caerolau'n taro saith pan ddaeth Rover crand drwy'r gatiau mawr ac ar hyd y ffordd oedd yn arwain at yr Albert Dock. Fe safodd y car a daeth dyn tal, tenau allan ohono a cherdded yn syth at long oedd yn gorwedd wrth y cei. Mr. Eben Jones oedd y dyn, ac roedd y Castell Coch wedi docio'n barod. Edrychodd Mr. Jones i fyny ac i lawr y cei. Roedd hi'n tywyllu'n gyflym, ond roedd hi'n amlwg fod Mr. Jones yn disgwyl rhywun. Fe safodd e yno am funud neu ddau, ond welodd e neb, a ddaeth neb i gwrdd â fe. Ysgydwodd ei ben yn ddiflas, ac yna cerddodd i fyny'r gangwe i fwrdd y llong a gofyn i un o'r dynion welodd e yno ei arwain i gaban y capten.

'Siŵr iawn,' meddai fe a mynd â Mr. Jones i lawr y grisiau i'r caban.

'Dyma gaban Capten Stradling,' meddai'r dyn.

'Diolch,' gwenodd Mr. Eben Jones yn ei ffordd sur ei hun ar y dyn, a churo'r drws.

'Dewch i mewn,' meddai llais o'r caban.

Fe aeth Mr. Jones i mewn.

'A! Mr. Jones! Rydw i wedi bod yn eich disgwyl chi. Ond beth sy'n bod, Mr. Jones? Rydych chi'n hwyr heno. Dydych chi ddim yn hwyr fel arfer.'

eich bod chi'n glyfar iawn — *that you are very clever*
fod Mr. Jones yn disgwyl rhywun — *that Mr. Jones was expecting someone*
tywyllu — *to grow dark*
un o'r dynion welodd e — *one of the men he saw*

Gŵr tal, cryf oedd y capten a barf goch ganddo fe a dau lygad glas.

'Ydw, rydw i'n hwyr heno, ond fe fues i'n aros i Mr. Seimon Prys y ditectif. Roedd Mr. Samuel wedi trefnu iddo fe gwrdd â fi yma am saith o'r gloch, ond ddaeth e ddim.'

'Naddo?' meddai'r capten yn syn. 'Roedd Mr. Samuel wedi dweud ei fod e'n trefnu i Seimon Prys ddod gyda chi i gasglu'r gemau, ond beth sy wedi digwydd iddo fe, tybed? Efallai ei fod e wedi cael ei ddal yn y traffig yn y dref.'

'O, na; dydy'r traffig ddim yn drwm iawn am saith o'r gloch, Capten Stradling.'

'Wel, alla i ddim rhoi'r gemau i chi ar eich pen eich hun, Mr. Jones. Mae'r gemau yma'n werthfawr iawn,' atebodd y capten.

'O, twt, does dim rhaid i chi ofni rhoi'r gemau i fi, Capten. Fe fyddan nhw'n ddigon diogel gyda fi. Nid dyma'r tro cynta i fi gasglu pethau gwerthfawr o'r llong yma.'

'Digon gwir, Mr. Jones, ond dim byd mor werthfawr â'r gemau yma, ac mae arna i ofn i rywbeth ddigwydd i chi ar y ffordd i Gelli'r Gog,' meddai'r capten.

'Does arna i ddim ofn,' atebodd Mr. Jones. 'Mae'r car gen i wrth y cei, ac mae hwn gen i,' ac fe dynnodd rifolfer bach o'i boced.

'O, mae hwnna'n beth bach handi, Mr. Jones. Ond rydw i'n poeni am Seimon Prys. Dydy e ddim yn un sy'n anghofio na dim byd felly.'

'Dydw i ddim yn gwybod llawer am y dyn,' meddai Mr. Jones. 'Ond roedd e'n gwybod yr amser a'r lle a'r llong. Roedd Mr. Samuel wedi gwneud popeth yn glir. Ond fe fydd Mr. Samuel yn fy nisgwyl i a'r gemau, ac os bydda i'n hwyr . . . wel, rydych chi'n gwybod sut dymer sy ganddo fe.'

barf, f. — *beard*
ei fod e'n trefnu — *that he was arranging*
Efallai ei fod e wedi cael ei ddal— *Perhaps he has been caught*
allai i ddim — *I can't*
na dim byd felly — *nor anything like that*
os bydda i'n hwyr — *if I am late*
sut dymer sy ganddo fe — *the kind of temper he has*

'Ydw, rydw i'n gwybod. Rydw i'n gwybod mor wyllt mae e'n gallu bod hefyd. Mae'n ddrwg gen i drosoch chi, Mr. Jones, ond . . .'

'Ond beth, Capten Stradling?'

Edrychodd y capten ar y dyn tal, tenau o'i flaen. Oedd yna wên yn y llygaid glas, tybed?

'O, o'r gorau, Mr. Jones, rydw i'n rhoi'r gemau i chi. Mae'r rifolfer yna gennych chi, ac fe fyddwch chi'n ddigon saff a hwnna yn eich poced.'

Fe aeth Capten Stradling at gwpwrdd, ei agor a thynnu bag bach lledr ohono.

'Dyma'r gemau, Mr. Jones, yn y bag lledr yma. Mae clo ar y bag, fel gwelwch chi, ac mae'r allwedd gan Mr. Samuel.'

Ddwedodd e ddim fod allwedd ganddo fe hefyd. Roedd rhaid agor y bag i ddangos beth oedd ynddo fe i ddynion y Dollfa.

'Byddwch yn ofalus iawn ohonyn nhw'r gemau, Mr. Jones,' meddai fe wedyn.

'Does dim rhaid i chi ofni, Capten Stradling,' meddai Mr. Jones gan gymryd y bag. 'Diolch yn fawr. Da boch chi nawr.'

'Da boch chi, Mr. Jones,' meddai'r capten.

Fe aeth y coesau tenau allan o'r caban ac i fyny'r grisiau yn llawer mwy cyflym na ddaethon nhw i lawr ychydig o funudau yn ôl!

Cerddodd Mr. Jones yn syth at ei gar heb golli dim amser. Edrychodd yn gynta yn ofalus i fyny ac i lawr y cei, ond doedd neb i'w weld. I mewn i'r car â fe a dodi'r allwedd yn y tanydd. Welodd e mo'r dyn oedd yn cuddio yn sedd gefn y car. Yn sydyn, fe deimlodd Mr. Jones rywbeth dros ei drwyn a'i geg — hances neu rywbeth. Fe geisiodd e weiddi a thynnu'r hances i ffwrdd, ond roedd y dwylo oedd yn ei

lledr, m. — *leather*
clo, m. — *lock*
fel gwelwch chi — *as you see*
fod allwedd ganddo fe hefyd — *that he, too, had a key*
llawer mwy cyflym na daethon nhw i lawr — *much faster than they had come (came) down*
tanydd, m. — *ignition*
y dwylo oedd yn ei dal—*the hands that were holding it*

dal yn rhy gryf iddo fe. Fe deimlodd Mr. Jones ei hun yn syrthio . . . syrthio . . . i ryw dywyllwch mawr.

'Dyna ni!' meddai'r dyn oedd yn y sedd gefn. 'Cysga di, Jones bach. Nawrte, ble mae'r gemau yna?'

Fe ddechreuodd y dyn chwilio drwy bocedi Mr. Jones druan.

'O-ho! Rifolfer bach! Rwyt ti'n ddyn peryglus, Jones bach. Fe fydd hwn yn fwy diogel yn fy mhoced i fy hun. Nawrte, beth am y pocedi yma . . . A! Dyma nhw . . . yn y bag bach lledr yma. Diolch, Mr. Jones.'

Dododd y dyn y bag yn ei boced ei hun a dringo i ffrynt y car. Agorodd e ddrws y gyrrwr a gwthio Eben Jones allan. Yna cychwynnodd e'r car ac i ffwrdd ag e gan adael Mr. Jones yn gorwedd yn swp ar gerrig oer y cei.

* * * *

Yn ei gartref yn Gelli'r Gog, roedd Mr. Eleasar Samuel mewn tymer ofnadwy. Roedd ar bawb yn y tŷ ofn mynd yn agos ato fe. Roedd hi nawr ymhell wedi wyth o'r gloch a doedd y ffŵl Jones yna na Seimon Prys wedi cyrraedd gyda'r gemau. Beth oedd wedi digwydd iddyn nhw? Oedd y car wedi bod mewn damwain, neu oedd y gemau wedi cael eu dwyn? Roedd pob math o ofnau'n rhedeg fel tân drwy ei feddwl e fel roedd e'n cerdded yn ôl ac ymlaen, yn ôl ac ymlaen yn ei stafell fel teiger mewn caets. Roedd hyd yn oed ei wraig yn ofni mynd yn agos ato fe, ac roedd hi wedi ei weld e mewn pob math o dymer, ond welodd hi erioed mono fe mor wyllt â hyn.

Ond dyma rywun o'r diwedd yn mentro curo ar y drws.

'Dewch i mewn!' rhuodd y teiger gan neidio at y drws a'i dynnu ar agor.

yn swp — *in a heap*
ymhell wedi wyth — *long past eight*
oedd y gemau wedi cael eu dwyn? — *had the gems been stolen?*
hyd yn oed — *even*
pob math — *every kind*
mentro — *to venture*

Y forwyn oedd yno—os morwyn ydy'r gair [illegible]wn am wraig sy'n gofalu am dŷ mawr fel Gelli'r Gog a phawb a phopeth oedd ynddo fe.

'Wel?' rhuodd y teiger. 'Ydy Jones wedi cyrraedd?'

'Y . . . Ydy, Mr. Samuel,' atebodd y forwyn — gwraig styrdi ganol oed oedd, fel arfer, yn ofni neb na dim, ond oedd nawr mor nerfus â llygoden fach.

'Wel, ble mae'r ffŵl? Ydy'r gemau ganddo fe?'

'Dyma fe, syr,' meddai'r forwyn.

'Peidiwch â chuddio y tu ôl i'r ddynes yna, ddyn! Dewch i mewn i'r stafell yma i fi gael eich gweld chi. Mae'n amlwg i fi fod rhywbeth wedi digwydd i chi a'r gemau.'

Fe ddaeth Eben Jones i mewn i'r stafell. Roedd golwg ofnadwy arno fe — ei wyneb e'n wyn fel yr eira, a'i gorff i gyd yn crynu.

Safodd Eleasar Samuel gan edrych arno fe.

'Be . . . Beth sy wedi digwydd, Jones?' meddai fe.

Roedd y teiger yn dawelach nawr ar ôl gweld mor ofnadwy roedd Jones yn edrych.

'Dwedwch beth sy wedi digwydd,' meddai fe.

Agorodd Eben Jones ei geg, ond ddaeth y geiriau ddim.

'Dewch, ddyn! Eisteddwch!' meddai Mr. Samuel. 'Rydych chi'n crynu fel deilen. Mrs. Edwards, dewch â rhywbeth i Jones i'w yfed. Brandi neu rywbeth!'

'O'r gorau, syr.'

Cydiodd Samuel yn ei ysgrifennydd a'i arwain e at gadair. Eisteddodd Jones a'i geg yn agor a chau fel pysgodyn allan o'r dŵr, ond doedd y geiriau ddim yn dod. Fe ddaeth Mrs. Edwards y forwyn â'r brandi.

'Yfwch hwn,' meddai Mr. Samuel wrth Eben Jones.

Roedd ei dymer ddrwg wedi diflannu nawr, ac roedd hi'n amlwg ei fod e'n gallu bod mor garedig ag unrhyw ddyn arall.

Mae'n amlwg i fi fod rhywbeth wedi digwydd — *It's obvious to me that something has happened*
yn dawelach — *quieter*
deilen (dail), f. — *leaf*
cydio yn — *to take hold of*
ei fod e'n gallu bod — *that he could be*

'Nawrte, dwedwch beth ddigwyddodd.'

Fe ddechreuodd y lliw ddod yn ôl i wyneb Eben Jones. 'Rydw i wedi colli'r gemau,' meddai fe a'i lais yn crynu. 'Roedd dyn yn cuddio yng nghefn y car, ond welais i mono fe. Fe ddododd e hances neu rywbeth dros fy wyneb i ac fe aeth popeth yn dywyll. Y peth nesa rydw i'n ei gofio oedd dod ata i fy hun yn gorwedd ar y cei yn y doc. Ac roedd y car wedi mynd, a'r bag gemau a fy rifolfer.'

'Fy ngemau! O, na! Ond Seimon Prys? Ble roedd e? Roeddwn i wedi trefnu iddo fe gwrdd â chi ar y doc. Oedd e ddim gyda chi yn y car?' gofynnodd Eleasar Samuel.

'Nac oedd. Welais i mono fe ar y doc o gwbl, ac fe es i ar fwrdd y llong fy hunan. Fe ges i'r gemau . . .'

'Be . . . Beth? Ydych chi'n dweud fod Capten Stradling wedi rhoi'r gemau i chi a neb gyda chi?'

Roedd tymer y teiger yn dechrau codi eto.

'Do, fe roiodd e'r gemau i fi. Mae e'n fy nabod i'n ddigon da erbyn hyn, syr, ac fe ddangosais i'r rifolfer bach oedd gen i yn fy mhoced. Roedd e'n fodlon rhoi'r bag a'r gemau i fi wedyn.'

Dyna gloch drws ffrynt y tŷ'n canu.

'Ewch i weld pwy sy yna,' meddai Mr. Samuel wrth Mrs. Edwards.

Yna, gan droi'n ôl at Eben Jones, meddai fe, —

'Dydw i ddim yn deall hyn o gwbl. Mae hi nawr ymhell wedi wyth o'r gloch. Fe gawsoch chi'r gemau am saith. Oedd hi ddim yn bosibl i chi ffonio yn lle fy ngadael i yma heb wybod dim beth oedd wedi digwydd? A pheth arall. Fuoch chi at y polîs?'

'Naddo. Roeddwn i'n meddwl ei bod hi'n well i fi ddod i ddweud y cwbl wrthoch chi yn gynta,' atebodd Eben Jones.

'O, ie. Dwedwch, Mr. Jones! Sut daethoch chi yma? Fe ddwedsoch chi fod y car wedi mynd pan ddaethoch chi atoch eich hun.'

y peth nesa rydw i'n gofio — *the next thing I remember*

Roeddwn i'n meddwl ei bod hi'n well — *I thought I'd better*

Fe ddwedsoch chi fod y car wedi mynd — *You said the car had gone*

'Roedd rhaid i fi chwilio am dacsi,' meddai'r ysgrifennydd druan.

'Tacsi! Hy!' Ysgydwodd Eleasar Samuel ei ben. 'Na, wir, dydw i ddim yn deall y Seimon Prys yma chwaith. Beth ddigwyddodd iddo fe? Roedd e'n cael ei dalu'n dda am ddod gyda chi i nôl y gemau.'

'Wel, syr,' mentrodd Eben, 'roeddwn i ar y cei am saith o'r gloch, ac fe arhosais i am rai munudau, ond ddaeth e ddim . . .'

'Naddo, ddaeth e ddim am saith o'r gloch,' meddai llais o'r drws. 'Roeddwn i yno cyn saith . . .'

'Pwy? Beth?'

Neidiodd Eben Jones ar ei draed a'i wyneb e mor wyn â sialc. Yna, syrthiodd e'n ôl i'w gadair yn rhy wan i sefyll.

'Seimon Prys!' meddai Eleasar Samuel a'i lygaid yn neidio o'i ben. 'O ble daethoch chi nawr?'

'Fe ddes i gyda'r wraig brydferth yma, fy ngwraig, Gwen! Dyma Mr. Samuel. Mr. Samuel, fy ngwraig!'

'Sut rydych chi, Mr. Samuel? Mae'n dda gen i gwrdd â chi. Rydw i wedi clywed llawer amdanoch chi,' meddai Gwen yn siriol gan ysgwyd llaw â'r gŵr busnes mawr. ('Roedd ysgwyd llaw ag e,' meddai Gwen wrth Seimon wedi iddyn nhw gyrraedd adref, 'fel cydio yn y sebon yn y bath!')

'Beth . . . Sut . . .' dechreuodd Eleasar Samuel, ond am unwaith yn ei fywyd roedd brenin gwŷr busnes Caerolau wedi colli ei dafod.

Fe droiodd Seimon at Mr. Jones oedd yn dal i grynu yn ei gadair.

'Doeddech chi ddim yn fy nisgwyl i yma heno, Mr. Jones. Fe ges i fy nghloi yn y stafell fach yn swyddfa Mr. Samuel, ond fe glywsoch chi am Houdini, mae'n siŵr.'

Edrychodd Mr. Samuel o un dyn i'r llall.

'Houdini? Stafell fach?'

Doedd dim syniad ganddo fe beth oedd yn mynd ymlaen

rhy wan — *too weak*

Fe ges i fy nghloi — *I was locked up*

rhwng y ddau ddyn yma. Ond roedd hi'n amlwg fod Mr. Jones yn deall, achos roedd ei lygaid yn llawn ofn. Roedd e wedi cael dychryn mwya ei fywyd.

'Fyddwch chi mor garedig â dweud, Mr. Prys, beth sy wedi bod yn digwydd heno? Rydw i yn y tywyllwch yma. A'r gemau? Beth sy wedi digwydd iddyn nhw. Fe ddwedodd Jones yma eu bod nhw wedi cael eu dwyn,' meddai Eleasar Samuel o'r diwedd, wedi cael ei dafod yn ôl.

'Na, dydy'r gemau ddim wedi cael eu dwyn,' atebodd Seimon. 'Dyma nhw i chi,' ac fe dynnodd e fag bach o'i boced a'i daflu ar y bwrdd. Bag bach plaen oedd hwn heb ddim clo arno fe.

Edrychodd Mr. Samuel yn syn ar y bag.

'Mae . . . Mae'r gemau yn y bag yma? '

'Mae'r gemau ges i gan Capten Stradling yn y bag yma,' atebodd Seimon.

'Gawsoch chi gan Capten Stradling? Ond beth am y bag lledr? Ble mae hwnnw? ' gofynnodd Eleasar Samuel. Ac wedyn, 'Ac roeddech chi'n dweud eich bod chi ar fwrdd y Castell Coch cyn saith o'r gloch. Pam roeddech chi wedi mynd yno cyn saith, Mr. Prys? Yn wir i chi, rydw i yn y tywyllwch. Wnewch chi egluro, os gwelwch yn dda? '

'Mae'n well i chi edrych yn y bag yma'n gynta, Mr. Samuel. Mae'n rhaid bod yn siŵr fod y gemau yma i gyd,' meddai Seimon. 'Ac wedyn, fe fydda i'n egluro'r cwbl i chi, ac fe fydd gan Mr. Jones dipyn o waith egluro hefyd, mae arna i ofn.'

Agorodd Mr. Samuel y bag a thynnu allan gadwyn o gemau. Fe dorrodd gwên fawr ar draws ei wyneb bach mwnci. Roedd y dyn bach yn barod i ddawnsio mor hapus oedd e o gael y gemau yn ei ddwylo, a gwybod eu bod nhw'n ddiogel.

eu bod nhw wedi cael eu dwyn — *that they had been stolen*
Mae'r gemau ges i gan Capten Stradling—*The gems I had from Captain Stradling*
Gawsoch chi gan Capten Stradling — *That you had from Captain Stradling*
eich bod chi — *that you were*
egluro — *to explain*
mae rhaid bod yn siŵr — *we must be sure (It is necessary to be sure)*

'Fe fydd fy ngwraig yn edrych fel brenhines a'r gadwyn yma am ei gwddw,' meddai fe. 'Edrychwch arnyn nhw, Mrs. Prys!'

Roedd Mrs. Prys yn barod yn teimlo'n wan o edrych arnyn nhw. Welodd hi erioed ddim gemau mwy prydferth. Roedden nhw'n fflachio yng ngoleuadau'r stafell. Piti, doedd gan ei gŵr hi ddim digon o arian i brynu anrheg fel hon iddi hi.

'Maen nhw . . . Maen nhw'n ardderchog,' meddai hi. Doedd dim digon o eiriau yn ei geirfa hi i'w disgrifio nhw'n iawn.

'Mrs. Edwards,' meddai'r dyn bach wedyn, 'ewch i nôl Mrs. Samuel, os gwelwch yn dda.'

Fe aeth y wraig honno i nôl Mrs. Samuel.

'Roeddech chi'n gofyn i fi egluro, Mr. Samuel,' meddai Seimon.

'Oeddwn, oeddwn,' atebodd y gŵr hwnnw. 'Ond mae rhaid i fi weld y gadwyn yma am wddw fy ngwraig yn gynta. Cymerwch gadair, Mr. Prys, a chi, Mrs. Prys,' meddai fe heb dynnu ei lygaid oddi ar y gemau.

A dyna Mrs. Samuel yn dod i mewn i'r stafell a Mrs. Edwards yn ei dilyn. Fe agorodd llygaid Gwen fel dwy soser yn ei phen. Sut yn y byd mawr roedd y ddynes hardd yma wedi syrthio mewn cariad â'r mwnci bach yma o ddyn? Am ei arian e? Na, roedd eisiau mwy na chariad ac arian i fyw gyda'r dyn bach yma, roedd Gwen yn siŵr.

Fe aeth Mr. Samuel ati hi ar unwaith.

'Dyma hi'r gadwyn, cariad,' meddai fe. 'Mae'r cwmni yn Amsterdam wedi gwneud gwaith ardderchog. Gwisgwch hi am ei gwddw i fi gael ei gweld hi.'

Fe ddododd Mrs. Samuel y gadwyn am ei gwddw a gwenu ar ei gŵr. Caeodd Gwen ei llygaid. Brenhines? Roedd y ddynes yma'n edrych fel rhywun o fyd arall, mor hardd oedd hi. Pan agorodd Gwen ei llygaid, roedd Mr. a Mrs. Samuel yn cydio dwylo ac yn edrych i lygaid ei gilydd. Doedd dim eisiau geiriau rhyngddyn nhw, roedd hynny'n

nôl — *to fetch*

amlwg i bawb, ac fe welodd Gwen rywbeth yn wyneb y dyn bach od yma na welodd hi o'r blaen, ac roedd hi'n dechrau deall pam roedd y ddynes hardd yma wedi syrthio mewn cariad ag e.

Fe arweiniodd Eleasar Samuel ei wraig at soffa fawr ac eistedd wrth ei hochr. Roedd e yn ei seithfed nef.

'Nawrte, Mr. Prys, fe fydd yn dda gen i gael yr hanes i gyd,' meddai fe gan wenu ar bawb, hyd yn oed ar Eben Jones oedd yn edrych erbyn hyn fel corff yn ei gadair.

Ond cyn i Seimon gael siawns i agor ei geg, dyma Mr. Samuel yn mynd ymlaen, 'Rydych chi'n deall, wrth gwrs, mor ddiolchgar ydw i a fy ngwraig i chi, Mr. Prys, fod y gemau wedi cyrraedd Gelli'r Gog yn ddiogel. Mae'n ddigon plaen i fi fod Jones yma wedi gwneud ffŵl ohono'i hun rywffordd neu ei gilydd, neu fod rhywun wedi gwneud ffŵl ohono fe. Ond roedd rhyw deimlad gen i fod rhywbeth yn mynd i ddigwydd. Dyna pam gofynnais i i chi, Mr. Prys, fynd gyda Mr. Jones. Ond eich stori, os gwelwch yn dda.'

'Wel, Mr. Samuel, fe fydda i mor fyr ag y galla i fod, ond mae rhaid i fi ddweud yn gynta na welais i anrheg harddach na'r gemau yna erioed, a'ch gwraig ydy'r ddynes iawn i'w gwisgo nhw. (Mae hynny'n siŵr o blesio'r hen foi, meddyliodd Gwen.) Wel, te, fe es i adref yn syth o'ch swyddfa chi. Tra oeddwn i'n siarad â Gwen, fy ngwraig, dyma chi'n fy ffonio i . . .'

'Ffoniais i monoch chi, Mr. Prys,' meddai Samuel.

'Naddo. Ffrind Mr. Jones yma oedd yn ffonio. Fe ofynnodd y ffrind yma yn eich llais chi — ond mae rhaid i fi ddweud fod y lein yn ddrwg hefyd — i fi ddod i'r swyddfa i gwrdd â chi am chwech o'r gloch cyn mynd i lawr i'r dociau. Fe es i i'r swyddfa am chwech gan adael Gwen yn y car yn y stryd nesa. Pan es i i mewn i'ch stafell chi, dyna lle roedd

na welodd hi o'r blaen — *that she had not seen(did not see) before*
neu fod rhywun wedi gwneud ffŵl ohono fe—*or that someone had made a fool of him*
fod rhywbeth yn mynd i ddigwydd — *that something was going to happen*

dyn a hances dros hanner isa ei wyneb, het ar ei ben, a rifolfer yn ei law . . .'

'Na!' meddai Eleasar Samuel gan hanner codi oddi ar y soffa. Doedd e ddim yn gallu credu ei glustiau. 'Ond ewch ymlaen.'

'Yn fyr, Mr. Samuel, fe ges i fy nghloi yn y stafell fach sy'n arwain o'ch stafell fawr chi. Ond fe ges dipyn o wybodaeth allan o'r dyn. Gwen, ewch chi ymlaen â'r stori. Chi sy'n gwybod beth ddigwyddodd nesa.'

Gwenodd Gwen ar Mr. Samuel a'i wraig.

'Wel, roeddwn i yn y car, ond roedd Seimon wedi dweud wrtho i i gadw fy llygaid yn agored, ac roeddwn i'n gwybod ei fod e'n amau'r llais ar y ffôn. Roedd syniad gen i ei fod e'n amau Mr. Jones hefyd. Fe ddilynais i Seimon — o bell, wrth gwrs — ac fe welais i e'n mynd i mewn i'ch adeilad chi, Mr. Samuel. Yn fuan fe ddaeth car Rover ac aros y tu allan i'r adeilad. Fe ddaeth dyn tal, tenau allan o'r car. Rydw i'n nabod y gŵr yma nawr,' meddai Gwen gan droi at Jones druan oedd nawr yn edrych fel hen, hen ddyn yn ei gadair. 'Fe arhosodd e y tu allan i'r adeilad. Rhyw ddeng munud wedyn, dyma ddyn yn dod allan o'r adeilad ac i mewn ag e a Mr. Jones i'r Rover ac i ffwrdd â nhw. Roedd y dyn ddaeth allan o'r adeilad yn edrych yn fodlon iawn arno'i hun, ac roeddwn i'n siŵr fod rhywbeth wedi digwydd i Seimon. Felly fe ffoniais i'r Heddlu ar unwaith. Roedd dweud bod Seimon mewn trwbwl yn ddigon i ddod â'r hen ffrind Inspector Daniel a dau neu dri o blismyn yno ar unwaith.'

Fe gydiodd Seimon yn y stori wedyn.

'Mae'r Heddlu'n gallu symud yn gyflym pan mae eisiau. Mewn byr amser roeddwn i allan o'r stafell yna. O, ie, Mr. Samuel, mae arna i ofn fod eisiau clo newydd ar un neu ddau o'r drysau yn eich adeilad hardd. Ar ôl i Gwen ddweud ei

ei fod e'n amau Mr. Jones — *that he doubted Mr. Jones*
y dyn ddaeth allan — *the man that came out*
Roedd dweud fod Seimon mewn trwbwl — *To say that Seimon was in trouble . . .*
mae arna i ofn fod eisiau clo, etc. — *I'm afraid that one or two of the doors need a new lock*

stori, y cam nesa, wrth gwrs, oedd mynd yn syth i weld Capten Stradling cyn i Jones gyrraedd y llong, a threfnu pethau'n barod i Mr. Jones. Mae Capten Stradling a fi'n nabod ein gilydd, ac roedd yr Inspector gyda fi, ac felly fe roiodd y capten y gemau i fi yn y bag plaen a chadw'r bag lledr i Mr. Jones. Allan â ni wedyn a chuddio ar y cei. Fe welson ni Mr. Jones yn mynd ar fwrdd y llong, ac fe welson ni fe'n dod yn ôl ac yn mynd i mewn i'r car. Fe welson ni hefyd y cwbl ddigwyddodd yn y car — ddim yn glir iawn, mae'n wir — ac yna, Mr. Jones druan yn cael ei wthio allan o'r car.'

Roedd llygaid Mr. Samuel yn mynd yn fwy ac yn fwy yn ei ben gyda phob brawddeg. Yna, meddai fe, —

'Mae dau gwestiwn gen i, Mr. Prys. Yn gynta, pam roeddech chi'n gadael Mr. Jones i orwedd ar y cei heb fynd i'w helpu fe? (Oedd, roedd gan y dyn bach ryw ychydig o deimlad tuag at ei ysgrifennydd, meddyliodd Gwen.) Beth am y dyn ymosododd ar Jones yn y car? A beth am y car ei hun, wrth gwrs? Fy nghar i ydy'r Rover yna.'

'O, dydyn ni ddim yn gwbl heb deimlad, Mr. Samuel. Fe anfonson ni blismon i weld Mr. Jones, ond fe ddwedson ni wrtho fe i adael Mr. Jones os nad oedd e wedi cael rhyw ddrwg mawr. Roedd arnon ni eisiau gwybod beth oedd cam nesa Mr. Jones wedi iddo fe ddod ato'i hun. Rydych chi'n gwybod beth wnaeth e yn well na ni. Fe ddaeth e yma a dweud fod y gadwyn wedi cael ei dwyn, mae'n debyg. Am y dyn ymosododd ar Mr. Jones, wel, mae e ym Mhencadlys yr Heddlu yng Nghaerolau nawr yn cael ei holi gan Inspector Daniel, ond does fawr o eisiau ei holi fe, a dweud y gwir. Fe aeth Gwen a fi ar ôl y Rover yn ein car ni, ac Inspector Daniel yng nghar y polîs, ac fe ddalion ni'r dyn heb lawer o drwbwl.'

y cwbl ddigwyddodd yn y car — *all that happened in the car*
y dyn ymosododd ar Jones — *the man who attacked Jones.*
yn gwbl heb deimlad — *completely without feeling*
os nad oedd e wedi cael rhyw ddrwg mawr — *if he had not come to any great harm*
yn cael ei holi — *being questioned*

'A phwy oedd y dyn?' gofynnodd Mr. Samuel.

'Ffrind Mr. Jones. Y dyn welodd Gwen yn dod allan o'ch adeilad chi — y dyn aeth i mewn i'r car gyda Mr. Jones, a'r dyn ffoniodd fi, wrth gwrs, a'r dyn oedd wedi fy nghloi i yn y stafell fach yn eich swyddfa chi, Mr. Samuel,' atebodd Seimon.

'Ond pam roedd y . . . y . . . ffrind yma'n ymosod ar Mr. Jones?' gofynnodd Mr. Samuel.

'O, roedd hyn yn hen dric, Mr. Samuel,' meddai Seimon. 'Doeddech chi ddim yn debyg o amau Mr. Jones ar ôl i rywun ymosod arno fe. Mae hyn yn wir, on'd ydy e, Mr. Jones? Roedd y chwiff bach yna o glorofform yn rhan o'r tric, on'd oedd e, Mr. Jones?'

Druan o Jones! Doedd e ddim yn gwybod beth i'w ddweud na'i wneud na lle i edrych. Roedd e'n gorwedd yn swp yn ei gadair fe ci oedd wedi cael ei gicio'n agos at farw.

Fe droiodd Eleasar Samuel arno fe, ei lygaid yn fflachio.

'Ydy hyn yn wir, Jones, eich bod chi wedi trefnu gyda'r lleidr yna i ddwyn y gemau? Dwedwch, ddyn! Agorwch eich ceg!'

'O, syr . . . syr . . . mae . . . mae'n ddrwg gen i . . . Mae'n ddrwg gen i, ond roedd y dyn yma, Dico Rees, syr . . . roedd e'n mynd i fy lladd i . . . rhoi fy nhŷ ar dân . . . os nad oeddwn i'n fodlon ei helpu fe i ddwyn y gemau . . .'

Fe dorrodd Seimon ar ei draws.

'Esgusodwch fi, Mr. Samuel. Rydyn ni'n gadael Mr. Jones yn eich dwylo chi. Mae Gwen â fi'n mynd nawr. Rydyn ni'n hapus iawn ein bod ni wedi gallu'ch helpu chi, ac mae hi wedi bod yn bleser i gwrdd â Mrs. Samuel. Da boch chi nawr.'

Fe gododd Seimon a Gwen a mynd i ysgwyd llaw â Mr. a Mrs. Samuel. Doedd e, Mr. Samuel, ddim yn gallu diolch digon iddyn nhw. Roedd e'n barod i roi'r byd iddyn nhw,

y dyn welodd Gwen — *the man (whom) Gwen saw*
eich bod chi wedi trefnu — *that you had arranged*
os nad oeddwn i'n fodlon — *if I were not willing*
ein bod ni wedi gallu — *that we have been able*

mor hapus oedd e o gael y gemau'n ddiogel. Ond ddwedodd Mrs. Samuel ddim un gair, dim ond gwenu ei diolch . . .

Ar y ffordd adref i Gaerolau, fe gafodd Seimon dipyn o sioc. Fe droiodd e at Gwen i ddweud rhywbeth am Eben Jones. Roedd y dagrau'n rhedeg i lawr ei hwyneb.

'Hei, Gwen, beth sy'n bod? Dydych chi ddim yn torri'ch calon o achos y dyn Jones yna, ydych chi? Pam y dagrau yma?'

'Mrs. Samuel,' atebodd Gwen rhwng ei dagrau. 'Ddwedodd hi ddim un gair drwy'r amser, achos doedd hi ddim yn gallu siarad. Un o'r gwragedd hardda welais i erioed, a doedd hi ddim yn gallu siarad.'

'Nac oedd. Roeddwn i wedi gweld hynny fy hun,' atebodd Seimon gan deimlo mor drist â Gwen ei hun.

dagrau — *tears*
o achos — *because of*
un o'r gwragedd hardda — *one of the most beautiful women*